# Facing the Reality *of* Long-Term Care

*Capturing Quality, Avoiding Bankruptcy*

MICHAEL GILFIX, ESQ.

AND

MARK R. GERSON GILFIX, ESQ.

A Gilfix Education Publication
www.Gilfix.com

FACING THE REALITY OF LONG-TERM CARE
Copyright © 2014 by Michael Gilfix

ISBN 978-0-9960312-1-9

Gilfix & La Poll Associates, LLP
2300 Geng Road, Suite 200
Palo Alto, CA 94303
650-493-8070
www.Gilfix.com

# Acknowledgements & Dedication

Any consequential book is, at heart, a team effort. I received invaluable assistance from attorneys Francis A. La Poll and Myra Gerson Gilfix. Also essential was assistance from Ashleigh Alcock and other members of our remarkable team at Gilfix & La Poll Associates, LLP.

This book is dedicated to the memory of two individuals who played critical roles in my earliest professional evolution. One is Diana Steeples, an employee of the City of Palo Alto, California in 1973. She encouraged and welcomed me as I established the free legal services program for elders that became Senior Adults Legal Assistance (SALA). With her help, I saw my first clients at the Palo Alto Senior Center, which was then a desk in a downtown library.

This book is also dedicated to the memory of Murray Halwer. Murray moved to Palo Alto after retiring from a diversified legal career in New York City. He was one of the most vigorous volunteers Senior Adults Legal Assistance (SALA) ever had.

Michael Gilfix
September, 2014

# Table of Contents

# Who We Are

## MICHAEL GILFIX, ESQ.

Michael Gilfix is a nationally known authority in the fields of estate planning, elder law and Special Needs Trusts. Mr. Gilfix is a 1969 graduate of Stanford University, where he graduated *with distinction* and was elected to Phi Beta Kappa. Mr. Gilfix is also a 1973 graduate of the Stanford Law School.

Mr. Gilfix created the first free legal aid program for elders in the nation in 1973 and served as its director for ten years. That program, Senior Adults Legal Assistance (SALA), still thrives in Santa Clara County, California. He is a co-Founder of the National Academy of Elder Law Attorneys (NAELA) and a Fellow of the Academy. He was founder of California Law Center on Long-Term Care. He is also a Certified Legal Specialist in Estate Planning, Trust, and Probate Law. He is a founding member of the Council of Advanced Practitioners of the National Academy of Elder Law Attorneys. Mr. Gilfix is an Advisory Board Member of the Academy of Special Needs Planners (ASNP).

Mr. Gilfix is annually identified as a Super Lawyer in the field of Estate Planning and Probate. He is a Certified Specialist in Estate Planning and Probate by the State Bar of California.

Mr. Gilfix is a Contributing Editor for Elder Law for _Trusts & Estates_ magazine. Mr. Gilfix is on the National Advisory Board of Elder Counsel.

He has been a principal speaker for numerous trust and tax symposia at the national level, including the American Institute of Certified Public Accountants (AICPA), the New York University Tax Institute, the Southern California Tax and Estate Planning Forum, the National Academy of Elder Law Attorneys, and the Academy of Special Needs Planners (ASNP).

A highly respected practitioner and a prolific author, Mr. Gilfix is co-author of <u>Tax, Estate & Financial Planning for the Elderly: Forms and Practice</u> (Matthew Bender). He regularly contributes to many other legal journals and publications, including <u>Trusts & Estates</u> and *Estate Planning* magazine. He is frequently quoted in *The Wall Street Journal* and other publications.

Mr. Gilfix holds an AV rating from Martindale-Hubbell, as judged by his peers in the legal profession. This rating, the highest given, reflects an attorney who has "reached the heights of professional excellence, . . . [has] practiced law for many years, and is recognized for the highest levels of skill and integrity."

Mr. Gilfix is a founding partner along with Myra Gerson Gilfix at Gilfix & La Poll Associates, LLP in Palo Alto, California.

## MARK R. GERSON GILFIX, ESQ.

Mark Gilfix is a practicing attorney with Gilfix & La Poll Associates. He brings experience as a management consultant and advisor to Fortune 500 corporations to the estate planning and long term care field. He is passionate about connecting with people and helping them plan for a vibrant long term future. He currently practices law in the areas of Estate Planning, Elder Law, and Special Needs Planning at Gilfix & La Poll Associates. His background is unique among attorneys. A Palo Alto, California native, he graduated from Stanford University with a degree in Management Science and Engineering. He later attended Loyola Law School where he was chosen as his class commencement speaker and graduated near the top of his class as a member of the Order of the Coif.

Prior to practicing law, Mark was a management consultant at the Monitor Group (founded by celebrated Harvard Business School author Michael Porter,) participating and leading numerous strategy engagements with Fortune 500 corporations. He also enjoyed a career as a professional actor and writer, appearing on several network TV shows, including CSI:NY, 90210, and The Young and the Restless, in numerous independent films, and in national commercials for many of the world's top brands, including Apple, Budweiser, and Xbox.

With his unique background as both a business strategist and artist, Mark is increasingly in demand for speaking events, and has the ability to truly connect, communicate and optimize plans with his clients. His background allows him to look at long-term care planning from a legal, analytical, and, most importantly, a human standpoint.

He has been active in the community, having previously served on the associate board of directors of the Boys and Girls Club of the Peninsula, and in the Young Leadership Cabinet of the Jewish Federation. He is a fan of the San Francisco Giants, 49ers, and all Stanford sports. He is a passionate surfer and stand up paddle-boarder.

Michael Gilfix
Mark R. Gerson Gilfix

# Preface: Why We Wrote this Book

I have focused on the legal and planning aspects of long-term care for longer than any attorney in California, and perhaps the nation. After graduating from Stanford Law School in 1973, I created the first free legal services program for older individuals (60+) in the United States. That program is Senior Adults Legal Assistance (SALA). It still thrives in Santa Clara County of California.

In that program, I recurrently encountered situations where elders needed long-term care services but had no understanding of the cost or how to pay for such services. This was before the days when Medi-Cal, California's version of the federal Medicaid program, would pay for the cost of nursing home care for qualifying individuals. It was before long-term care insurance existed.

I served as director of SALA for 10 years. In 1983, we created what is now known as Gilfix & La Poll Associates, LLP, a private law firm substantially focusing on long-term care, special needs, and Medi-Cal planning. We have watched the State Medi-Cal program evolve from its infancy. We wrote the first articles[1] and taught the first courses[2] on the legal

---

[1] Examples of articles and other early publications of Michael Gilfix include "First Hired--First Fired: Age Discrimination in Employment," Advising Emergence Column, 50 California State Bar Journal, 462 (1975); "Elders and the Need for Legal Advocacy," New Directions in Legal Services, July 1977; "California Natural Death Act, Nation's First," Perspective on Aging, Vol VI, No.4, July/August 1977, p. 18; Editor, Law and

aspects of planning to protect assets when facing the onerous cost of long-term care, and skilled nursing care, in particular.

We at Gilfix & La Poll Associates, LLP have counseled literally thousands of older Californians and their families about this issue in the 30 years of our office's existence. We have an understanding of long-term care planning, borne of this experience, which is both sophisticated and practical. We understand the roles of private resources, long-term care insurance, and Medi-Cal. Put simply, we know what the law allows and we know what the law does not allow. Unfortunately, we also see unlimited amounts of *misinformation* about long-term care and "Medi-Cal planning," in particular.

---

Aging, Law School curriculum materials, 13 sets (60-435 pages per set), under Title IV-A contract with Administration on Aging, 1977-1980.

[2] Examples of early courses taught or lectures presented by Michael Gilfix include Stanford University, "Age Discrimination in America," Fall 1975; Stanford Law School seminar: "Legal Problems of Older Persons," Fall 1976; Santa Clara Law School, Continuing Legal Education: "Legal Issues and Aging," Summer 1976; San Francisco State University Gerontology Certificate Program: "Legal Aspects of Aging," Fall 1977; San Jose State University Gerontology Program: "Legal and Social Issues in Aging," January 1978; University of California at Berkeley, Graduate School of Social Welfare, "Law, Social Policy and Aging," Fall Quarter 1979.

In this book, attorney Mark Gilfix and I work very hard to present an overview of this challenging and problematic topic. We make no effort to identify all planning options. Rather, our goal is to provide consumers with enough information to understand long-term care issues and the options.

We include a very special chapter written from the perspective of the adult children, the next generation. We do so because we focus on multigenerational planning. We focus on families taking care of families. This chapter is authored by Mark Gilfix, a member of the next generation.

This book is written primarily for Californians, particularly when the federal Medicaid (Medi-Cal) program is being discussed.

This book is not, of course, a substitute for legal advice. Every situation is different and there is no "master plan" that will serve everybody.

Michael Gilfix
Palo Alto, California
September, 2014

# Chapter One: What is Long-Term Care?

Long-term care (LTC) describes a variety of services that are provided to individuals who need help with daily needs that are both medical and non-medical, and who will need that help for an extended period of time. Assistance may be needed so that an individual can safely perform "activities of daily living," such as bathing, dressing, eating, and using the toilet. Needs may also be medically compelling and require assistance from nurses and other qualified providers.

LTC services may be provided in one's home, in a community-based service center, in assisted living, or in a skilled nursing facility. Such services may be provided by family members, most typically, or by hired individuals. LTC services are primarily provided to older individuals, although recipients can be of any age. Unless family members are providing such services on a *gratis* basis, the cost is paid out of personal savings, by long-term care insurance, or by government programs for which an individual qualifies.

Perhaps most challenging are the tasks of finding and employing quality caregivers and paying for such services on an ongoing basis.

Michael Gilfix
Mark R. Gerson Gilfix

## A. Three Trends that Worry Us about the Future of Long-Term Care Services

1. The Number and Quality of Long-Term Care Facilities, and Nursing Homes in Particular

Notwithstanding the reality of a growing older population, we do not see an expansion in the number of skilled nursing facilities, in particular. Medi-Cal reimbursement rates – the amount paid to a skilled nursing facility to care for a Medi-Cal eligible resident – are substantially lower than the amount paid by private-pay residents. We are not optimistic that Medi-Cal rates will reasonably increase to reflect the actual and growing cost of care.

Whenever the demand for a particular service or a particular facility substantially exceeds the supply, many challenging forces are at play and threaten quality of care.

2. The Cost of Long-Term Care

The cost will no doubt go up as the supply diminishes, as inflation takes its toll, and as more people compete for limited resources. Those with ample resources will, of course, be able to pay for care. Those with adequate long-term care insurance will be able to pay for care. Those dependent on Medi-Cal will simply rely on government benefits.

9

The vast middle class faces the most daunting set of challenges. Most have insufficient funds to pay the cost of care without serious disruption of their lives; most have limited or no access to government benefits and services that might be helpful.

Given these considerations, long-term care insurance emerges as an increasingly valuable option. Asset protection planning – to maximize the impact of private resources while qualifying for government assistance – is also increasingly important.

3. Limited Supply – Quality and Quantity of Caregivers

We are already experiencing this problem: a shortage of individuals who are qualified home care facility providers. Home care agencies compete for the limited number of quality service providers. Will there be enough caregivers in the future to satisfy all needs? This is compromised by the extremely high cost of living in many California communities. Where will caregivers live?

B. The Spectrum of Long-Term Care

"Long-term care" is a term not easily defined. Most generally, it refers to services or assistance that one receives if needed because of physical or mental disability(ies). Such assistance can be provided in many settings. In fact, there is a multifaceted spectrum of long-term care.

10

# Spectrum of Long-Term Care

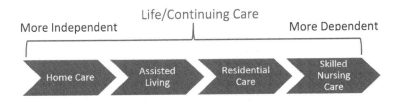

At one end of the spectrum, where independence is typically maximized, is home care. At the other end is care in a skilled nursing facility. There are also life care, or Continuing Care Retirement Communities (CCRCs) designed to provide varying levels of care.

Each of these care settings is discussed below, along with the cost of each setting.

## C. Everyone Wants to Stay at Home

Who doesn't want to stay at home?! There is nothing like the comfort, convenience, and feeling of being at home. As a result, most of us work very hard – perhaps too hard – to avoid any alternatives. We cling to our homes even though an objective observer would say that it is unwise or unsafe for us to do so.

We may need minimal or substantial assistance. We may have difficulty preparing our

11

meals. Meals On Wheels[3] and other such programs provide home delivered meals to elders, often through senior centers or through Area Agencies On Aging.[4] Churches and Synagogues often organize home delivered meals for their members and for other needy elders in the community.

We may need help with getting up and out of bed, bathing, hygiene care, or medication management. Put differently, we may need help with the "activities of daily living" (ADL's). This is a term used commonly in the context of government or Veterans Administration sponsored programs. It is a term that is integral to the operation of long-term care insurance policies. Put most simply, it refers to routine activities each of us performs on a daily basis.

---

**ADL's typically include the following:**
- We need to be able to get up, get out of bed and get dressed.
- We need to bathe and take care of our hygiene.
- We need to prepare our food and feed ourselves.
- We need to take our medications.

---

[3] Contact Meals On Wheels Association of America. Local, community-based senior nutrition programs exist in all 50 states and US territories. Visit www.MOWAA.org.

[4] Area Agencies On Aging, created under the 1973 Older Americans Act, exists in all parts of the nation. Visit www.n4a.org.

If we are fortunate as we age, family members will be the initial and perhaps primary source of help.

If we need such assistance and have to hire caregivers, we typically have to rely on long-term care insurance benefits (rarely available) or pay out of our own pockets.

The cost can be very modest or it can be enormous. If the need for help is four to five hours a day, it may be affordable. The cost would be $2,000 to $3,800 per month, depending on the hourly rate of the caregiver. If one needs nursing care at home, for example, the cost can easily exceed $15,000 or even $30,000 per month. For home health aides – companion and home care – on a full-time basis the cost can be $6,000 to $10,000 per month.

When family members provide significant amounts of care, the cost is correspondingly less.

Discussed more completely below, there are two government programs that may provide help at home. One is the In-Home Support Services (IHSS) program, which is affiliated with Medi-Cal.

Medi-Cal is California's version of the federal Medicaid program. Throughout this volume, most references are to Medi-Cal.

There is also the Aid and Attendance program through the Veterans Administration.

## D. Assisted Living

Assisted living envisions an apartment in which one is living independently. Staffing in such facilities is available to provide assistance with activities of daily living. The more assistance needed and obtained, the higher the cost. Cost can vary from $718 to $9,500 per month.[5]

While not a home environment, assisted living can maximize independence while offering a safe environment where trained staff members are available. Needless to say, the quality of training – and of care – varies from facility to facility.

While no government program will pay for assisted living, the VA Aid and Attendance program may provide funding to help address the cost. Some long-term care insurance policies can pay or contribute to the cost. Medi-Cal will not pay for assisted living.

Note: Many assisted living facilities typically have dementia or "memory" units. Such units typically do not accept Medi-Cal even though they are similar to skilled nursing facilities.

---

[5] This and other data on the cost of care is contained in the 10th Edition, Genworth 2013 Cost of Care Survey.

## E. Residential Care Facilities

Residential Care Facilities (RCF's) are single family homes with three to five bedrooms. Each bedroom is inhabited by an older resident, sometimes by two. Ideally, RCF's are home-like and designed to provide the comforts of a private residence with full-time staffing. Staff members are not medically trained or certified. They provide meals and general assistance. The cost can range from $3,000 to $7,000 per month.

There are no government programs that will pay the cost of care, although some long-term care insurance policies may contribute to or pay for the cost of care.

## F. Skilled Nursing Facilities (SNF's)

Skilled nursing facilities are otherwise known as nursing homes. They provide 24-hour nursing care and can cost $6,000 to $18,000 per month. Most typical are rates between $7,000 and $9,000.

> *For qualifying individuals, Medi-Cal can pay all or most of the cost of care in a nursing home.*

SNF's serve individuals with the highest levels of care, often those who suffer from dementia and/or who are non-ambulatory.

Long-term care insurance policies can pay all or most of this cost for the few who have such policies.

For qualifying individuals, Medi-Cal can pay all or most of the cost of care in a nursing home. Indeed, 65% of all California nursing home residents have their cost of care paid by the State Medi-Cal program. Most, but not all nursing homes, are "Medi-Cal Certified" and accept Medi-Cal as a source of payment.

The vast majority of individuals who become Medi-Cal eligible do so after spending or exhausting all of their assets. Others plan protectively. They preserve all or most of their assets while achieving eligibility for the Medi-Cal program. As discussed throughout this book, many asset protection strategies are available. They are perfectly legal and they are perfectly accessible with good advice from a knowledgeable, able attorney.

Medi-Cal planning or asset protection planning is often thought of as "tax planning for the middle class." Wealthy individuals employ sophisticated tax attorneys to reduce or eliminate millions of dollars of income or estate tax exposure. Middle class individuals employ sophisticated asset protection attorneys to preserve family assets – and the residence, in particular.

> *Medi-Cal planning or asset*
> *protection planning is often*
> *thought of as "tax planning for the*
> *middle class."*

Tax planning and Medi-Cal or long-term care planning are conceptually identical: both rely on careful analysis of legislation to identify what planning steps can and cannot be taken. Strategies and actions that are not legal are never taken; strategies that are legal and sanctioned can be taken by well-educated, well-advised individuals.

This opportunity – planning to protect assets and qualify for Medi-Cal – is at the heart of this book.

## G. Continuing Care Retirement Communities (CCRC's)

Continuing Care Retirement Communities (CCRCs) provide all levels of care, commencing with independent living.[6] They provide assisted living and, when needed, skilled nursing care. They are often referred to as "life care" communities.

---

[6] Gilfix, Michael. "Continuing Care Retirement Communities: Issues for Elder Law Attorneys." The ElderLaw Report, Volume XVII, Number 9. April 2006.

Some require a significant payment to gain admission. They are often very expensive and "classy" communities where the cost of entry can be in the millions of dollars. There is also a monthly fee, often maintained at the same level regardless of the level of care that is being received.

Increasingly rare are CCRC's that are more moderate, allowing modest entry fees and monthly payments.

There are typically no government programs that will pay any portion of this cost of care. The skilled nursing level in such facilities rarely, if ever, accepts Medi-Cal as a source of payment.

Generally speaking, these facilities are for individuals with larger estates. Some are maintained by religious or nonprofit organizations and can be accessible to individuals of moderate means, as well.

Michael Gilfix
Mark R. Gerson Gilfix

# Chapter Two: Who Needs Skilled Nursing Care?

*"Promise me you'll never put me in a nursing home."*

No one wants to be in a nursing home. Nevertheless, and notwithstanding heroic efforts on the part of so many family caregivers, approximately 4.2% of Americans over the age of 65 – 1.5 million – reside in skilled nursing facilities. The level of care required on a daily or hourly basis allows no alternative. For the youngest portion of this age group, nursing home utilization is only 1.4%. The rate is 24.5% for the oldest members of the 65 plus age group. It is no surprise that approximately 50% of those 95 and older reside in skilled nursing facilities.

The overwhelming majority of SNF residents are women. Women live longer, surviving their spouses. Women are the long-term caregivers for married men, underscoring the statistical fact that skilled nursing care and planning is more a woman's issue than a man's.

Many reside in skilled nursing facilities because of our nation's long-term care "reimbursement" system. The surprising fact is that Medicare does not pay the ongoing cost of nursing home care. Medicaid, known as Medi-Cal in California, can pay for skilled nursing care. Unfortunately, and with minor, limited exceptions, neither Medicare nor Medi-Cal pay for more independent – and far less expensive – personal care settings. This means that untold numbers of older Americans are prematurely placed in skilled nursing facilities because it is the only level of care where the cost can be covered by a government program.

> *Many reside in skilled nursing facilities because of our nation's long-term care "reimbursement" system.*

Over 4 million Americans suffer from dementia, most of the Alzheimer's type. Millions of others suffer from Parkinson's disease or the after-effects of strokes or other debilitating conditions. There comes a time when mobility becomes so limited or mental functioning becomes so compromised that an individual needs 24-hour care.

Fortunately, there are many support groups and organizations that provide assistance to caregivers of individuals diagnosed with such conditions as Alzheimer's disease. Most significant is the Alzheimer's Association, which has offices throughout the State of California. Other organizations like Area Agencies On Aging, Jewish Child and Family Services, and Catholic Charities have programs that provide counseling, home care services, and respite care.

---

Michael Gilfix
Mark R. Gerson Gilfix

Invaluable information is also available at websites that focus on these areas of need. One is *Caring.com*, which addresses the needs of family and other caregivers of elders and other dependent individuals.

See the Appendix for a directory of organizations and websites that can provide such services and assistance.

The number of individuals diagnosed with dementia has increased and continues to increase annually. The tsunami-like wave of baby boomers will have a profound impact on personal, long-term care services. There are approximately 78 million boomers. If current trends continue, over 3.5 million will spend time in skilled nursing facilities. The resulting demand for long-term care services – and skilled nursing care, in particular – will expand relentlessly.

Unfortunately, we are experiencing a simultaneous constriction of government benefits that can provide assistance. The Medi-Cal program, for example, has endured significant budget cutbacks in recent years. Such cutbacks led to the elimination of funding for Adult Day Health programs. Expansion of Medi-Cal coverage to over 3 million additional Californians in 2014 under the Affordable Care Act (ACA) arguably exacerbates this problem. While the federal government will pay for this expansion of services for three years, the state must then pay 10% of the cost of this expanded Medicaid program, at minimum, in future years. This will consume

21

hundreds of millions of Medi-Cal dollars that are not now being expended.

> *These trends underscore the value of long-term care insurance so that Medi-Cal eligibility will be unnecessary.*

As a result, there are logical and grave concerns about the adequacy of the Medi-Cal program to pay the cost of nursing home care. The primary worry is that the program will effectively reduce the amount it pays to SNF's to care for Medi-Cal eligible residents by failing to provide realistic increases to keep up with inflation. Some SNF's will be tempted to abandoned the Medi-Cal program and only accept "private-pay" residents. This means that fewer beds will be available, notwithstanding inevitably increasing demand. While this is not a problem that is likely to affect us for 10 to 20 years, it is an obvious concern.

These trends underscore the value of long-term care insurance so that Medi-Cal eligibility will be unnecessary.

# Chapter Three: Paying the Cost of Long-Term Care

It should come as no surprise that health care costs are the primary cause of bankruptcies in America. In 2013, approximately 8% of "medical bankruptcies" afflicted individuals 65 years of age and older. This number approached 52,000.[7]

Long-term care costs routinely exhaust savings built up over a lifetime, too often leaving a spouse or needy children struggling or destitute. The cost of facility-based care is increasing much faster than the rate of inflation. Over the last five years, the cost of facility-based care increased at a 4.45% compound annual rate.[8] We see no reason to expect a lower rate of cost increases in coming years.

Perhaps surprisingly, the cost of home-based care can be even higher.

How will the cost of care be paid? For skilled nursing care, in particular, there are three primary sources: your pocket, long-term care insurance, or the California Medi-Cal program.

---

[7] Data according to NerdWallet Health, which reviewed data from the US Census, Centers for Disease Control, federal court systems, and the Common Wealth Fund, which is a private foundation promoting access, quality, and efficiency in the health care system. Visit www.NerdWallet.com.
[8] Genworth, Cost of Care Survey, 2013.

In 2013, the median annual cost of a semi-private room in a California nursing home approached $84,000. In some areas, such as San Francisco, the annual cost of care in 2013 exceeds $150,000. In just under three years, $250,000 to $450,000 will be spent on skilled nursing care by a private-pay individual.

For a private nursing home room in California, the average cost is in the area of $100,000 per year. It exceeds $205,000 per year in San Francisco, over $600,000 in just three years.

While most residents have shorter stays in skilled nursing facilities, prudent planning suggests that you should "plan for the worst" and assume that there will be relentless, consuming costs of care.

> *In just under three years, $250,000 to $450,000 will be spent on skilled nursing care by a private-pay individual.*

## A. Your Pocket, Your Assets

Few of us can afford the punishing cost of skilled nursing care. Even fewer can afford the cost of personalized nursing care at home, where the cost can be dramatically higher than the cost of care in a facility.

The fact is, however, that most of us are not entirely rational as we think about our assets and potential costs of health and long-term care. Objectively, we may conclude that we can afford the cost of care because we have enough money. At the same time, we may feel threatened and insecure as we look to the future when such costs loom large. We may suffer sleepless nights and be distracted by worry.

These worries can be exacerbated when one has a spouse facing costly long-term care and has his own health worries. Indeed, and particularly when the "well spouse" is living at home, this individual's cost of living and potential cost of care must be taken into account.

If all of a couple's monthly income is consumed, and if savings must be continually invaded for the cost of care, financial stress is unavoidable. Exhaustion of assets is simply not an option. The spouse at home must retain a realistic level of security.

It is of course possible to pay privately if one has very substantial resources. Even wealthy individuals, however, are uncomfortable writing monthly checks in excess of $10,000. As the rather wealthy husband of a nursing home resident stated, "My hand shakes every time I write that check."

A viable, objective approach for those with reasonably comfortable income and/or assets is to analyze the probable cost of the care and plan to pay.

This requires use of a cost calculator, made available by most long-term care insurance companies on their websites.  A disciplined individual or couple can then set aside sufficient funds to pay for an identified number of months of care.

Care must be taken in pursuing this approach. Concerns include the following:

- It can be difficult to maintain the necessary and reliable, conservative investment and saving regimen.
- Emergencies can arise, draining funds.
- As costs are incurred and paid, worries will inevitably arise about adequacy of savings and security of the spouse, if the care consumer is married.

Consider Annuities

When family assets are to pay for ongoing care costs, how are they to be invested?

Annuities are often part of the answer.  If obtained from the top rated, most secure companies, they are arguably as reliable as other investment vehicles.  Annuities are of countless varieties, so advice from an appropriately experienced advisor is of course necessary.

**Note:** The use of annuities in the context of planning to achieve Medi-Cal eligibility is a different topic, discussed later in this chapter.  Such "Medicaid compliant" annuities are structured very differently

26

than those that would be purchased to ensure a private income stream.

The fact is that very few of us have sufficient resources to comfortably afford the private cost of care.

## B. Medicare

Most people have serious misunderstandings about Medicare's role in the world of long-term care.

Many believe that Medicare will pay for skilled nursing care. For example, a 2006 survey by AARP revealed that 59% of carefully surveyed older Americans have this mistaken belief. This means that most older Americans will take minimal proactive steps to financially prepare for this potentially significant cost. They will not save. They will not purchase long-term care insurance.

> *The fact is that Medicare will not pay for nursing home care, with very modest exceptions.*

The fact is that Medicare will not pay for nursing home care, with very modest exceptions. Medicare never pays for assisted living.

Unless an individual has significant wealth or adequate long-term care insurance, he is faced with two primary options.

He may use and perhaps exhaust his assets to pay for the cost of care.

Alternatively, he may look to Medi-Cal, California's version of the federal Medicaid program. Strict eligibility criteria must be satisfied. Major changes in his financial and estate plan will be needed.

When will Medicare help pay for skilled nursing care?

If a Medicare recipient spends at least three nights in a hospital and is then transferred to a skilled nursing facility for rehabilitation and physical therapy, Medicare coverage is available. This is important, as a facility providing this care is paid at a higher rate than if it is providing only custodial care.

Medicare can pay the full cost of care for up to three weeks. Then it provides only a portion of the cost of care. In any event, Medicare coverage of this nature will not exceed 100 days.

A 2013 federal court settlement effectively expanded Medicare coverage for millions of

Americans.[9] It changed preexisting Medicare practices and no longer allows Medicare coverage to be denied when a person fails to improve as a result of provided physical and other therapies. Medicare is now required to provide coverage if it is shown that such therapies maintain and/or prevent a decline in a resident's level of health functioning.

Information about this major change in Medicare coverage is slowly filtering to skilled nursing facilities, advocates, and those who administer Medicare on a daily basis.

## C. The Patient Protection and Affordable Health Care Act (ACA)

Also known as "ObamaCare," the Affordable Care Act remakes the health insurance landscape of America. It provides no assistance with the cost of skilled nursing care. The ACA originally included a program, known as the CLASS Act, that was designed to address this area of need. Actuarially unrealistic from the outset, the program was effectively abandoned by the Obama administration shortly after the ACA became law.

The ACA joins Medicare as another of our nation's predominant health care initiatives that virtually ignores the cost of skilled nursing care.

---

[9] See: *Jimmo v. Sebelius*, No. 5:11-CV00017-CR.

29

> *The ACA joins Medicare as our nation's predominant health care initiatives that virtually ignore the cost of skilled nursing care.*

## D. Long-Term Care Insurance

Regular health insurance does not include coverage for the cost of long-term care. Medicare does not pay the ongoing cost of personal or custodial care, either at home or in a facility setting. The Affordable Care Act did nothing to address this area of need. Coverage for the cost of long-term care can be obtained through an insurance policy that focuses exclusively on this area of need.

Relatively few purchase long-term care insurance. Indeed, less than 10% of Americans 50 years of age and older have such insurance. The reasons are many and include all of the following:

- Complexity;
- Cost;
- Reports of sizable increases in annual premiums for existing policies;
- Ignorance; and
- Denial – *"I'll never need a nursing home." "I'll never go to a nursing home."*

Indeed, another very real and unexpected barrier to obtaining long-term care insurance is the shrinking, challenging market place. Many insurance companies, such as MetLife and Prudential Financial, no longer sell long-term care insurance. Others, such as Genworth and John Hancock, have increased the cost of premiums. Stricter underwriting requirements have been imposed, making it more difficult to obtain long-term care insurance. Some who have long-term care policies have seen their premiums increase dramatically over the past few years.

The American Association for Long-Term Care Insurance reports that the cost of new policies is at least 10% higher than it was 10 years ago. In 2013, the average annual premium was $3,700 for a couple, both 60 years of age, with 3% compound inflation protection.

Lifetime coverage is increasingly rare. Policies more typically provide three to five years of coverage and/or have a dollar cap. It is also increasingly typical for long-term care insurance policies to cost more for women than for men, simply because more women tend to utilize long-term care insurance benefits than do men. The vast majority of nursing home residents, in particular, are women. Women live longer. Women often care for their husbands at home.

Long-term care policy options are remarkably diverse. No effort is made in this publication to identify or summarize typical policies. Suffice it to say that long-term care insurance is a viable option. While there were many reasons to be critical of such policies eight or ten years ago, some have improved and are recommended for consideration.

Notwithstanding all of the challenges, long-term care insurance should be seriously considered. Reasons include the following:

- Cost of long-term care itself, both in-home, as well as in a facility setting;
- A desire not to burden loved ones with caregiving responsibilities;
- Peace of mind;
- Asset preservation for benefit of well spouse and/or children; and
- Broader choices of care settings.

The typical long-term care insurance policy relies on annual premium payments. Increases in premiums have been common and substantial in recent years.

Another approach involves a lump sum, single premium payment to lock in an identified level of coverage.

Long-term care premium payments may be deductible for income tax purposes as medical expenses. This opportunity was created by the Health Insurance Portability and Accountability Act of 1996 (HIPAA). There are restrictions, in that the deduction is only available for "qualified" policies and then only if the tax year's medical expenses exceed 7.5% of a person's Adjusted Gross Income (AGI).

Age is also relevant to the income tax deduction calculation. In the following chart, the 2014 age-based deduction limits are set forth. Note that these limits change from year to year as they are indexed to reflect annual changes in the cost of health care.

| Age | Limitation on Deduction |
|---|---|
| 40 or less | $370 |
| More than 40 but not more than 50 | $700 |
| More than 50 but not more than 60 | $1,400 |
| More than 60 but not more than 70 | $3,720 |
| More than 70 | $4,660 |

## E. Hybrid Long-Term Care and Life Insurance

Many hesitate to purchase long-term care insurance because of sizable annual premiums and the distinct possibility that the benefits will never be utilized. Indeed, as with automobile or home insurance, the hope is that such policies will never be needed.

Increasingly available are hybrid life/long-term care policies. If long-term care insurance coverage is not utilized, the policy provides a death benefit to named beneficiaries. In effect, it becomes a life insurance policy.

> *Individuals with existing life insurance policies can convert or exchange their life insurance policies for such combination LTC/life insurance policies on a tax-free basis.*

Such policies are typically "single premium," which means that they are purchased with a one-time only payment, typically $75,000 or more. They provide less long-term care insurance than a "pure" LTC policy for which one might make a single premium payment of $75,000. They provide less life insurance than one would obtain with a single premium $75,000 payment. The benefit, however, is obvious: there will be a return on money invested.

Individuals with existing life insurance policies can convert or exchange their life insurance policies for such combination LTC/life insurance policies on a tax-free basis. Known as a 1035 Exchange, there are no negative income tax implications. This option is interesting to many individuals who have significant cash value in existing life insurance policies and who may have diminished need for pure life insurance.

We routinely advise our California client community about 1035 Exchanges and long-term care insurance options.

Other policies allow the insured person to access the underlying value when needed for long-term care services, avoiding the need to consider "viatical settlements." Viatical settlements involve the sale of life insurance policies to investors at deeply discounted rates.

## F. Medicaid, "Medi-Cal" in California

This federal program does not pay the cost of assisted living or residential care. In limited ways, it can help pay for home care services. It is the primary source of payment for skilled nursing care. Over 65% of nursing home residents rely on this program for all or most of the cost of care.

Medi-Cal is a resource and a planning opportunity for the vast middle class. Even those with multi-million dollar estates may need and rely on this program when 80% to 90% of their wealth is in the form of the family home.

> *In virtually every situation, a plan can be developed and implemented to protect assets while qualifying for the Medi-Cal program.*

The challenge presents itself: If skilled nursing care becomes necessary, are a family's assets to be effectively wiped out? Or should the family plan protectively, preserve all or most of those assets, and still capture quality care in a chosen skilled nursing facility?

In virtually every situation, a plan can be developed and implemented to protect assets while qualifying for the Medi-Cal program.

The foregoing is not an overstatement. At the same time, it does not mean that it is wise for everyone facing long-term care costs to make the kinds of changes that are needed to achieve eligibility for Medi-Cal. An attorney's job and responsibility is to educate you and to be certain that you understand what options exist.

---

**Not All Skilled Nursing Facilities Accept Medi-Cal.**

No skilled nursing facility is required to participate in the Medi-Cal program. Many are not Medi-Cal certified. If an individual exhausts her assets and cannot afford the monthly cost of care, she must move out of a "private-pay" skilled nursing facility.

This underscores the need to choose a Medi-Cal certified facility if Medi-Cal is to be a source of payment.

---

In separate chapters, Medi-Cal eligibility and Medi-Cal planning options are discussed. A review of those chapters – and a professional consultation – will enable you to make an informed decision.

## G. Medi-Cal Myths & Reality

It is a myth that all Medi-Cal facilities are of poor quality.

Medi-Cal certified facilities and non-Medi-Cal certified facilities are subject to the same standards and to the same oversight. Such oversight is always imperfect, whether or not the facility is Medi-Cal certified. Problems inevitably arise and must be vigorously addressed to achieve good quality care in any facility, Medi-Cal certified or not.

It is also a myth that a Medi-Cal facility has a certain number of "Medi-Cal beds."

There is no such thing as a "Medi-Cal bed."

If a facility is Medi-Cal certified, there is no limit on the number of residents whose cost of care will be supported by Medi-Cal.

There are limited nursing home beds available to Veterans in VA facilities. Priority is given to those who have service-connected disabilities. This alternative is rarely available.

## H. Medi-Cal, the Cost of Skilled Nursing, and the "Medi-Cal Compliant" Annuities

The vast majority of older Americans cannot afford the ongoing cost of long-term care. When the need for expensive skilled care arises, and an adequate long-term care insurance policy is not in effect, two choices present themselves. One is to exhaust savings and then become eligible for Medicaid. The other option is to plan proactively and preserve assets for one's spouse or family while qualifying for Medicaid before assets are exhausted.

While annuities were arguably abused and over-utilized in past decades in the context of Medicaid planning, they have emerged as a core option. This is because the Deficit Reduction Act of 2005 (DRA), though not yet implemented in California, explicitly sanctions their use. Many requirements have to be satisfied if a "Medicaid compliant annuity" is to be part of an asset preservation plan. Nevertheless, it is a viable, available option that is appropriate for many and perhaps most individuals facing the crisis of long-term care.

The critical features of a Medicaid-compliant annuity include the following:

1.  It must be an immediate annuity, providing that payments commence immediately after purchase. This is to be distinguished from a deferred annuity.

38

2. The State of residence (California) must be named as the primary beneficiary, to the extent that value remains in the annuity at the time of the purchaser's passing and to the extent that Medicaid dollars have been expended on behalf of the individual.

3. The annuity must be for a fixed term, not to exceed the life expectancy of the annuitant. Importantly, life expectancy is determined purely on the basis of age, ignoring an individual's particular diagnosis.

Annuities can be particularly appropriate for an individual whose life expectancy is brief relative to age determined life expectancy.

The purchase of annuities is a core strategy in the context of asset preservation and long-term care for millions of Americans who must rely on the Medicaid program to pay nursing home bills, in particular.

Until California adopts Medicaid provisions in the Deficit Reduction Act of 2005 (DRA), however, reliance on annuities in the Medi-Cal context is unnecessary.

## I. Creative, Alternative Planning Options

### 1. Move to Another Country

While rare, some individuals have moved – or have moved their parents – to Mexico, Costa Rica, or other countries in Central and South America. They have done so because of the belief that the quality of assisted living and nursing home care will be as good as or better than in this country. The belief is that it will be substantially less costly.

There are many reasons why this is an unwise or inappropriate decision. Perhaps most significantly, obtaining access to quality health care services can be challenging if an individual is unable to communicate fluently in the appropriate language.

If this option is to be considered, extraordinary care must be taken to investigate the facility, the staff, and the owners.

### 2. Move to Small Town, USA

While hard to find, there remain many small towns and small communities across America where the cost of care is relatively low and the quality relatively high. The author's hometown in northeastern Michigan, population hovering around 2,000, is an example. Assisted living can cost under $3,000 per month. The cost of nursing home care is perhaps 30% lower than most averages.

Caregivers in such facilities are not anonymous. Older residents and their families are likely to be personally acquainted with caregivers' families. These very personal relationships result in a higher level of accountability and enhanced quality of care.

# Chapter Four: The Child's Perspective – Caregiver, Supporter, Inheritor

This chapter is written by Mark Gilfix, Esq. It is written from the child's, or next generation's perspective.

> *We must "step up."*

We all want our parents to be well cared for as they age. We want them to be happy and healthy. If they need long-term care, we want them to get the very best care available. We also don't want to see our parents' hard earned savings, everything they worked for throughout their lives, slip away.

Yet none of us wants to think about this until we have to. It is not a fun subject. It is not something we want to visualize. We all hope that our parents simply stay healthy and never need care. It is hard to imagine our parents, our pillars of love and safety throughout our lives, in a weakened state, relying on others, or relying on us. The fact is, our parents are living longer and *70% of baby boomers will eventually need some form of long-term care.*[10]

---

[10] http://www.heritage.org/research/reports/2013/02/the-long-term-care-financing-crisis

42

Michael Gilfix
Mark R. Gerson Gilfix

When our parents have not planned ahead, we face the implications. Emotionally, physically, and sometimes financially, we shoulder the burden.

Unfortunately, we typically do not act until we reach a crisis. When it is all too clear that Mom and Dad can no longer take care of themselves and when the need for outside help or care is no longer a choice, only then do we act.

We do what we have to do to take care of them. We take time out of our lives to help. We find caregivers. We look for new places for them to live, while trying to respect their desire to stay at home.

If we wait until the need is upon us, our options are limited. It is inevitable that some or most of Mom's and Dad's estate will be lost to pay the high cost of care. Home care may become unavailable as funds are exhausted. Nursing home care will eat up savings until Medi-Cal benefits become available – if they ever become available.

We need a new outlook. Adult children must be more proactive. *We must "step up."*

Why? In addition to wanting the very best for our parents, and as much as we may deny it, we have self-serving goals as well. We have our own lives to lead. We hope that our parents' needs will not take over. We have inheritance expectations. We may feel guilty about this, but we are human.

43

**A note about inheritance expectations:**

While it is not comfortable or "correct" to think about an inheritance, the fact is that it often matters a great deal to both us and to our parents. Raising a family is costly. The cost of housing in many California communities is extraordinarily high. A child's education and care is costly. A child or grandchild may have special needs. We face economic uncertainty, unemployment or under employment. Our own financial and estate planning can be dramatically affected by an inheritance. Our parents might want to help. A lack of communication about this can lead to unreasonable or unrealistic expectations, or even family conflict. We do not need to know exactly how much our parents plan on leaving (or not leaving) us, but a general understanding is important. It is not selfish to think about these very real concerns, and they must be discussed.

When parents do not have the resources needed to pay for their own care, who has to step in? It is typically us, the adult children. Many of us pull back from our careers and do less to provide for our own families to devote the required time and effort to provide Mom or Dad with in-home care and assistance. This may save money for our parents, but we suffer financially and in many other ways.

None of these are pleasant thoughts. **So what can an adult child do?**

We must become involved. The first key step is <u>communication</u>. We must understand what our parents are planning for their future. Many parents are in denial. They assume they will always stay healthy and therefore avoid the subject of long-term care. We must talk about their long-term care fears and goals and actively learn about legal planning, financial, and insurance options that are available to cover future costs. It is important to initiate this discussion in a positive way.

<u>Some examples of useful questions:</u>

- What do you hope your lives will be like as you age or after you retire?
- What are your goals and passions for your golden years?
- What are your worries or concerns? What stresses you out about aging and health?
- Do you want to stay at home above all else? If so, do you have the funds or have you done planning to make this happen?
- Have you thought about senior life care communities? If so, where? If not, what do you want for yourselves if staying at home is not an option?

Understanding what our parents want is the first step towards helping them. This type of discussion might not be easy, but it can help parents

(otherwise resistant to planning) to consider the future in a meaningful way.

We must also understand our parents' finances. This can be awkward, but it is crucial. How do our parents plan on paying for care in the future? Do they have ample savings? Do they realize how expensive long-term care can be (see Chapter Three)? Do they have reliable sources of ongoing income (e.g. a pension, a large 401k or Roth IRA)? Do they have long-term care insurance? The use of long-term care cost calculators can be helpful. Many erroneously believe Medicare will pay for long-term care, or they assume it will somehow "work itself out." This type of discussion can be a reality check.

Once we have begun a dialogue, we can start working with our parents towards real solutions. As we have seen in our practice countless times, this can help a family avoid pain and conflict in the future. It can eliminate stress and bring "peace of mind" to entire families.

The fact is that this is – and should be – seen as a *multigenerational challenge*. But it is also a multigenerational opportunity.

### A. Too Late for Long-Term Care Insurance or Other Planning – What to Do?

Without advanced planning, if a parent cannot afford to "self-insure" and simply pay for care, there are primarily two options – both are "sub optimal."

Sub Optimal Option One: Our parents use whatever savings they have to pay for care, either at home, in assisted living, or in a nursing home. They spend the savings until they are virtually exhausted. They become eligible for Medi-Cal, which will only pay for nursing home care at Medi-Cal certified homes. Once again, remember that Medi-Cal will not pay for in-home care or assisted living.

In this situation, we must deal with enormous levels of stress, will have little control over the quality of care, and are left with virtually no inheritance for ourselves or our children.

Sub Optimal Option Two: We, adult children, step in to provide care ourselves, saving the cost of caregivers or alternative living facilities. Assets are thereby preserved, at least temporarily, but we must devote extraordinary levels of time and energy to provide care, often putting our own lives on hold. This is particularly difficult for those of us who care for our own children, making us part of the "sandwich generation" – simultaneously caring for both younger and older family members.

Eventually, our parents will need a higher level of care, which may only be available at a nursing home. Extraordinarily high nursing home costs rapidly deplete assets that we worked so hard to save. Once our parents are virtually bankrupt, they become Medi-Cal eligible. No assets remain for us or our children (their grandchildren.)

The bottom line is that we, the children of baby boomers, have a huge stake – both financially and emotionally – in our parents' long-term care planning.

For both our parents' and our own sakes, it is incumbent on us to proactively help our parents plan ahead. As discussed above, we must "step up."

## B. Paying for Care: Good Options are Available

If we plan in advance of a crisis, long-term care insurance can be a viable way to help pay for long-term care. We can educate ourselves about long-term care insurance and discuss it with our parents. We can help "run the numbers" to see if it makes financial sense to purchase a policy. There are pure LTC policies, and hybrid LTC/Life insurance policies. Each has its own benefits and drawbacks. Unlike Medi-Cal, LTC insurance can pay for in-home care and care received in an assisted living facility.

We can also pay for LTC insurance for our parents, if we are so inclined and financially able. This can reduce or eliminate the need for us to step in and pay for care ourselves. This may be in our own financial best interests.

Another option discussed extensively in this book is Medi-Cal eligibility. Medi-Cal does not pay for in-home care. Eligibility requirements are strict. Many believe that they must spend down virtually all of their assets before they become eligible. This is not the case. In California, with planning, it is possible for parents to legally transfer their entire

estates to their children and still gain Medi-Cal eligibility. This can be a win-win for parents and children. It also raises difficult ethical and emotional questions, particularly if one child has economic need and another does not. See Chapter Ten for more on this.

The sooner we begin to plan, the easier the process is, and the more family assets can be saved.

Conclusion

We all have a stake in our parents' long-term care. It is incumbent on us to communicate and work with our parents to plan ahead. Avoiding the issue only breeds problems and crises down the road. We have options to help. As difficult as it can be to get started, advanced planning is truly a 'win-win' proposition.

# Chapter Five: Plan to Stay Out of a Nursing Home, Receive Care at Home[11]

No one wants to be in a nursing home. We often say to our family members that we want to stay at home, no matter what. We want to die at home. This heartfelt desire is too often frustrated when the realities and cost of home care are confronted.

If one develops significant care needs at home – typically because of the need for assistance with the "activities of daily living" (ADL's) – the cost can be enormous. This is the case even if family caregivers are available.

Your needs may be adequately addressed by home health aides. If such assistance is obtained through a licensed agency, which we recommend, the cost can be $45,000 to $60,000 per year on a full-time basis. If a licensed practical nurse is needed on a full-time basis, the cost can exceed $200,000 per year.

The actual cost, of course, depends on the number of hours needed to ensure safety at home.

As with skilled nursing care, there are alternative sources of payment for such assistance.

---

[11] For a more complete discussion of such planning, see Gilfix and Tillem, "Estate Planning for Clients Who Want to Stay Out of a Nursing Home," *Estate Planning Magazine*, November 2005.

## A. Private Payment

Some are sufficiently wealthy to pay the private cost of care. This is no panacea. It can be difficult to assure adequate oversight of private home care services on a daily basis. This is particularly true if caregivers are privately hired, an approach that avoids the higher cost of a licensed home care agency.

If this approach is chosen, the care recipient typically becomes the employer. There are many governmental reporting responsibilities for all employers, regardless of size. Numerous other employer actions are needed, such as income tax withholding and payments to the state disability program and for Workers' Compensation insurance.

When private wealth is available to pay for care at home, and notwithstanding the obvious benefits, we are concerned about "isolated luxury." When an intimate team of care providers becomes a frail elder's only personal contact, there is the possibility of financial abuse. There may be too little or inconsistent oversight by family members or trustees. The elder's social and community networks may also constrict, causing further isolation.

> *When private wealth is available to pay for care at home, and notwithstanding the obvious benefits, we are concerned about "isolated luxury."*

At the same time, highly personalized care can be exceptional.

When this option is chosen, family members have special responsibilities to monitor the quality of care. If that is not possible, geriatric care managers[12] or social workers can be employed to visit, observe, and even supervise care. This is particularly important for elders who have no close family members.

## B. Reverse Mortgages – Using Home Equity

Many individuals desirous of home care have modest resources – other than the residence. The temptation and opportunity is to utilize home equity, typically in the form of a "reverse annuity mortgage" (RAM).[13]

---

[12] For more information, contact the National Association of Professional Geriatric Care Managers. See the Appendix.

[13] Helpful information can be obtained from the National Center for Home Equity Conversion.

Michael Gilfix
Mark R. Gerson Gilfix

Reverse mortgages typically involve monthly distributions from a lending institution to the elderly homeowner. That money can then be used to pay for home care services. The amount available is based on a number of factors, including the value of home equity and the age of the homeowner. In appropriate circumstances, it can enable an individual to avoid placement in an institutional setting.

Reverse mortgages should be utilized with great care and only with an understanding of their cost and potentially harmful repayment responsibilities.

> *Before obtaining a reverse mortgage, a homeowner must obtain knowledgeable advice which includes the negative implications of such loans as well as the positive.*

Even those who want to utilize home equity to avoid nursing home placement want to protect as much equity as possible for their children or other family members. In California, it is possible to protect one's home while qualifying for Medi-Cal – to pay the cost of skilled nursing care. The problem is that terms of reverse mortgages provide that repayment of the loan is due upon the earlier of the death of borrower or the date when the borrower permanently moves out of her home.

53

For example, consider a homeowner with an $800,000 residence who owes $300,000 to the reverse mortgage lender. She purchased the home many years ago for $150,000. On the date that she is compelled to move to a skilled nursing facility because of increasing physical difficulties, the home would have to be sold to satisfy the loan. This has at least three damaging, likely hidden repercussions:

1. She may face *capital gains tax exposure*, which might otherwise be avoided.
2. There can be *no hope of returning home* since the residence would be sold.
3. *Medi-Cal eligibility would be unavailable*; net proceeds of perhaps $380,000 would be unprotected.

For purposes of Medi-Cal eligibility, a residence is an "exempt resource." This means that its value is not counted in determining eligibility. As discussed in Chapter Ten, the full value of the residence can typically be protected.

If the property is sold, in the example given above, approximately $120,000 would be paid in capital gains tax. The individual will then have $380,000 in unprotected, nonexempt cash. Unless significant planning steps are then taken, Medi-Cal eligibility is unavailable because her unprotected assets exceed $2,000. A significant portion or all of the net proceeds of sale of the property would inevitably be lost.

Before obtaining a reverse mortgage, a homeowner must obtain knowledgeable advice which includes the negative implications of such loans as well as the positive. Put differently, the primary source of information should not be an avuncular actor, who, in a television commercial, tells older homeowners that reverse mortgages are the perfect solution to their needs.

## C. Annuities to Ensure Income Stream

Primarily for retirement income purposes, increasing numbers of older Californians – and boomers in particular – are investing in annuities. Annuities reflect an acknowledgment that most of us lack faith in our ability to properly invest and nurture our assets. The fact is that annuities only return to us the money that we invested and that the annuity issuer – typically an insurance company – invests and grows for later distribution back to the purchasers.

Insurance companies can do this in large part because of favorable tax treatment of their management costs and growth in the value of investments. Insurance companies have historically honored terms of annuities and have proven reliable.

Annuities are attractive because of their conservative consistency. Even if the returns are not extraordinary, they are certain. An individual investor who manages and invests his own money is much more susceptible to the vagaries of the market.

Annuities can be an appropriate choice in the context of self-insurance. If a 55 year old individual purchases a $500,000 annuity that is deferred for 10 years, for example, she would receive approximately $28,750 annually for life after payments start. If she chooses a 30 year term from the date of purchase, she would receive $32,500 annually once payments commence. When added together with sources of fixed income, this may be adequate to pay all or most of the cost of long-term care.

## D. Long-Term Care Insurance

Many long-term care insurance policies provide coverage for home care. Such coverage is typically triggered when an individual needs assistance with three or four of the "activities of daily living" (ADL's). To obtain coverage, the health care team must understand insurance policy triggers, criteria, and terms.

Such insurance is particularly important for those who want to stay at home as long as possible and do not have large, liquid estates.

## E. Veterans Aid and Attendance Care

The Veterans Administration administers its Aid and Attendance program, which is available to the vast of majority veterans and their spouses. Again, triggered by the need for assistance with activities of daily living, this program can provide a veteran with perhaps $1,700 to $2,000 per month or provide the surviving spouse of a veteran with approximately $1,130. The funds are to be used to pay for medical expenses, in-home caregivers and in many cases, assisted living facilities.

There are asset eligibility criteria. While a residence is not counted, assets are typically limited to $80,000 in value. There is no "look-back period" under current law. This means that a veteran can transfer assets to reduce his countable resources to $80,000 and qualify for this program. At the time of this writing, there is proposed legislation in the United States Senate that would impose a three year "look-back" period, rendering it more difficult to qualify for this benefit.

## F. In-Home Support Services (IHSS)

In-Home Support Services are typically available to individuals who satisfy the same eligibility criteria as for Medi-Cal. It is linked to the Medi-Cal program.

This program is designed to help people remain at home and avoid premature nursing home placement. While valuable and sometimes helpful, it is an underfunded state program. It too often provides insufficient assistance (too few hours) to make that critical difference in home care services that allow a person to significantly extend ongoing residence at home and avoid skilled care.

Nevertheless, it is a resource that must be explored and understood.

## G. Medi-Cal Waiver Program: Program of All-Inclusive Care for the Elderly (PACE)

The Center for Medicare and Medicaid Services (CMS) administers Medicaid. It allows states to create special programs that are experimental or otherwise beyond the normal constraints of Medicaid's mandates and restrictions. One such program in California is the Program of All-Inclusive Care for the Elderly (PACE), administered in Northern California's Bay Area by the Institute on Aging (IOA). The IOA is a nonprofit entity managing a host of services and programs in the San Francisco Bay Area. See the Appendix for contact information.

PACE is a rare program that can be effective in preventing premature institutionalization. A care manager evaluates the needs of an older participant at home and develops a care plan. Team members include a physician with appropriate geriatric care experience.

Services are then provided pursuant to terms of the individualized care plan. Such services include personal caregivers, visiting nurses, and transportation to medical appointments.

## H. Life Care Contracts

Many older homeowners enter into life care contracts or agreements. In exchange for services at home from friends, relatives or professionals, they often provide that their residence will become the property of the caregivers. Such contracts should be entered into with great caution. Countless circumstances can arise that make their enforcement problematic and their fairness questionable.

Such agreements must be carefully drafted with assistance from an attorney experienced in this area of planning. Terms must specify the following, at minimum:

1. The services to be provided by the caregiver;
2. Who is to have supervisorial responsibility;
3. How care services are to be maintained if the primary caregiver is temporarily absent;
4. The hours and location of services;
5. Compensation;
6. Limitations on visits by friends and family members of caregivers;
7. Restrictions on the use of internet and telephone services;
8. Careful attention to protection of privacy; and
9. Grounds for termination.

Such arrangements create opportunities for financial and physical elder abuse. The importance of careful drafting and monitoring cannot be overemphasized.

## I. Specially Drafted Estate Planning Documents

If an individual is devoted to staying at home and exhausting all resources to this end, traditional, standard language in estate planning documents is insufficient. In fact, it is inhospitable to this approach and to this goal.

> *If an individual is devoted to staying at home... standard language in estate planning documents is insufficient.*

A very different approach must be taken.

### 1. Durable Power of Attorney

An individual desirous of remaining at home, regardless of cost, will include provisions in the Durable Power of Attorney that enable her "Attorney in Fact" to enter into all appropriate arrangements to achieve this goal. It will provide other guiding and limiting language regarding home care.

Importantly, it will specify that asset preservation is secondary to the nursing home avoidance goal.

## 2. Revocable Trust and Will

An individual seeking this result will specifically state and emphasize that all trust assets are to be used to pay for care at home. Rights of those who are to later inherit the estate are to be secondary, and explicitly so.

Choice of a successor or alternate trustee is critically important. The successor trustee, who will manage and control trust assets if the elder is unable to do so, will have responsibility for carrying terms of the trust. An heir has a presumptive conflict of interest since funds expended for costly home care will not be part of an ultimate inheritance.

A trusted, devoted child or other family member may be the appropriate trustee. A child with financial difficulties or who is somehow relying on an inheritance may not be an appropriate trustee.

## 3. Advance Health Care Directive

Language in an Advance Directive can specifically and forcefully restate the individual's desire to remain at home and to receive health care services at home.

## J. Family and Community Support

An individual wishing to remain at home needs support from her physician, family, friends, and community. She needs visitors. She needs oversight. She needs human contact. She also needs to know that family members will not intrude and, feeling protective, intervene "in her best interest" to place her in a care facility.

Staying at home and avoiding institutional care is often challenging. It is sometimes impossible unless there are sizeable financial resources, a supportive family, and the absence of extraordinary care needs.

---

**A classic "carrot:" Federal Medicaid law allows transfer of a residence to a child caregiver.**
Federal Medicaid legislation allows a parent to transfer her residence to a caregiver child – as a reward – in limited, special circumstances without interfering with Medicaid (Medi-Cal) eligibility. To qualify, the child must live with the parent in the residence and show that her care avoided or delayed skilled nursing facility placement for two years or more.

---

Michael Gilfix
Mark R. Gerson Gilfix

# Chapter Six: The Role of Technology in Home Care

When the need for higher levels of care arise, we all prefer to stay independent and at home as long as possible. We also resist having strangers – hired caregivers – in our homes.

Thankfully, new technologies and internet-based services are offering more options to safely remain at home. They provide loved ones and caregivers with new tools for staying in contact and monitoring activities, health and well-being without directly interfering with independence.

We only brush the surface of this rapidly growing category of innovative technology. This area is evolving very quickly. Here are a few areas where technology is making it easier to safely and independently stay at home when safety is an identified worry.

## A. Sensors

Many new at-home sensor systems are becoming available to consumers. They allow for remote tracking of specific movements in the home. They effectively allow for caregivers or family members to "keep tabs" on a loved one, without having to be there in person.

At the time of this writing, one leading company in this area is <u>Lively</u>. Lively developed a simple sensor suite that can be placed on specific cabinets, drawers, kitchen appliances, or even pill boxes to track activity patterns and send data to loved ones or caregivers. The technology does not require a "Wi-Fi" network. It can rather simply connect to the cellular network. The sensors keep track of when doors, a refrigerator, or pill box is open or closed. They can keep rough track of where an individual is in his or her home, if desired.

Data from sensors can alert observers if an individual is not following his normal daily patterns of activity. For example, if someone typically makes breakfast every morning at 8 am, a sensor on his refrigerator would register movement every morning at that time. If the refrigerator is not opened one morning around the usual time, the interactive Lively website will alert family and/or caregivers that the normal pattern of behavior is not being followed. This might indicate an emergency or problem, and would at least encourage a "check in" with the individual at home.

Other sensors are designed to track movements more directly. A company called <u>Healthsense</u> has developed the "eNeighbor" monitoring system. This system uses sensors throughout one's residence to detect motion, bed rest, and even falls. The system can provide reminders to take medication and can make distress calls in emergency situations.

Over time, sensor data can help detect changes in activities, indicative of medical or psychological issues requiring helpful intervention or treatment. The eNeighbor system provides for easy analysis of behavioral changes over time, such as less or more frequent bed rest. Catching these potentially troublesome medical patterns early can be enormously beneficial.

Systems like this can give third parties a "heads up" that something is wrong. They can act as an additional set of eyes, lessening the need for in-home assistance or residential care.

Clearly, the use of sensors must be balanced with privacy concerns. No one wants to feel as though they are under constant surveillance. However, these types of passive sensors, placed in locations where one feels comfortable, can prove invaluable in allowing elder individuals to stay independent and at home longer.

## B. Robotics

While sensor or other monitoring technologies can help ensure that a loved one is physically monitored, companionship and emotional support remains a major issue. Caregivers can provide companionship, but other options are emerging for those who do not need extensive or – expensive – in-person care.

Robotics and artificial intelligence companies and research institutions, like the MIT Media Lab,[14] are developing robots with the capacity to listen, have conversations, show expressions and emotions, and socially engage with their owners. Research shows that this can provide real emotional benefits. Those who engage with emotionally intelligent robots can get similar health and well-being boosts that they would get from interacting with other people.[15] And let's face it – consistently positive interactions with a robot may be far less stressful than consistently negative interactions with certain family members!

Over time, these robots will also be able to provide other assistance. They might be linked with sensor systems to help keep track of their owner's health, remind them to take medication, or even help with physical tasks.

At the time of this book's publication, there are few available commercial robotics offerings, but this is likely to change soon. One promising start-up is called Jibo, founded by the head of MIT's Personal Robotics group, Cynthia Breazeal. Jibo is developing the "world's first social robot for the home." This is one of many companies working on robotic products that may be able to provide multi-faceted companionship and emotional support to those who wish to live independently, longer.

[14] http://www.media.mit.edu/research/groups/personal-robots
[15] See: http://web.media.mit.edu/~coryk/papers/ Paro_AndroidScience05.pdf; http://www.cs.columbia.edu/~allen/ F12/breazeal_2003.pdf

Michael Gilfix
Mark R. Gerson Gilfix

Put differently, the day when Isaac Asimov's vision in *I, Robot* (1950) of a society substantially served by robots with specialized, carefully designed purposes may not be far off.

## C. Video Communication

There are easy to use, low-cost, or even free services available that make it easier than ever before for families and caregivers to stay in close touch with parents and other loved ones without being there in person. Numerous options for free video conferencing allow more personal, direct communication from nearly anywhere in the world. Skype, Google Chat, Apple and other companies provide free video conference options. Cameras and microphones can be purchased for under $200. Tablets and smart phones typically come with built-in cameras. Many, current generation "smart TVs" come with video chat capabilities built-in.

Virtually anyone can connect visually with their loved ones. This can reduce loneliness, provide for much better communication, and is yet another tool that allows one to stay independent, yet connected with friends, family, and the outside.

## Conclusion

These are but a few of the myriad areas where technology and innovation are reshaping the long-term care landscape. More and more options will doubtlessly emerge in coming months and years. In particular, Aging 2.0, a San Francisco based start-up "innovator," is working daily to bring innovation and venture capital to the field of aging and long-term care services. It is important to keep an eye on these offerings, as they have the potential to provide effective, low cost enhancements to independent care.

# Chapter Seven: Sources of Information

## A. Information Overload

The information age is both a blessing and a curse. Unlimited amounts of information are available from websites that will answer your questions about any topic you can imagine.

One problem is information overload. There are inexhaustible resources. You can double check and triple check your understanding. You can be captured by the thought that more information is better, that *quantity* is a virtue unto itself. This can be paralyzing.

*Reliability* of information is a particularly challenging problem.

## B. Unreliability

Anyone can create a website. Anyone can describe himself as a "Medi-Cal Advisor." Separating reliable information from questionable information is a daunting task. Identifying truly qualified advisors is perhaps more difficult. It is certainly more important.

Another problem is incomplete information, rather than affirmatively wrong information. A "Medi-Cal Advisor" may help with submission of a successful application, but be ignorant of countless tax, quality of care, and state reimbursement challenges, that are discussed throughout this book.

If you face or a loved one faces long-term care challenges, be sure to obtain competent professional advice. It is available at the Gilfix & La Poll Associates, LLP website (www.Gilfix.com).

**Obtain a Sophisticated, Experienced-Based Advice.**

Ms. B was a long-time attorney with an elaborate website that featured Medi-Cal, asset protection planning and various aspects of estate planning. It also contained some odd, incorrect statements.

This attorney attended a reputable law school. She was a practicing member of the bar for almost 20 years. There were many favorable comments about her abilities on her website. She had high ratings from a service that evaluates attorneys.

It turns out that she was a very experienced *divorce attorney* who had recently "burnt out." She heard that estate planning and elder law are mellow, less challenging areas of law that can be gratifying. Overnight, she changed her area of focus. She hired a website designer. The designer was told to look at three websites of established estate planning attorneys and to "take the best of each site."

It was no surprise that she offered free consultations.

She had no idea what she was doing.

This is perhaps an extreme example, but it makes the point. You must be careful as you choose professional advisors. However obvious this might be, it is a point overlooked on a daily basis.

## C. Different Laws, Different States

Medi-Cal is California's version of the federal Medicaid program. You might logically conclude that you should research "Medicaid" to learn about laws and planning opportunities in California. Accordingly, you may look at sophisticated websites explaining "Medicaid" rules and planning in the context of nursing home care. The problem is that every state Medicaid plan is different. General information about federal Medicaid law will mislead you about California's Medi-Cal program.

As emphasized throughout this publication, California is unique in the way its Medicaid program is administered.

*General information about federal Medicaid law will mislead you about California's Medi-Cal program.*

## D. You are Aware of the Medi-Cal Program. Now What?

Issues addressed in this book are the stuff of life. They affect all of us sooner or later.

- What options will you have as you age?
- How will you or your loved one be cared for if she is frail and in need of increasing levels of care?
- How will that care be paid for?
- What planning steps are appropriate?
- How do you balance the typical goal of asset preservation with the higher objective of ensuring quality care?

This squarely presents the question: At what stage do you seek and rely upon legal advice from an experienced legal advisor? If you are reading this book, now is the time to obtain that advice.

# Chapter Eight: When Do You Seek Legal Advice?

Now is the time to obtain reliable legal advice. This answer is indisputably correct.

Aging brings with it an unavoidable list of potential crises.

> *Logically, you are and should be worried. Logically, you should plan.*

There is simply no substitute for planning in advance, whenever possible.

There may be <u>no diagnosis</u> of physical disabilities or dementia, but you or your parent may be aging and without unlimited funds. This means that there are insufficient resources to pay the cost of long-term care. Logically, you are and should be worried.

Consider:

1. There may be a <u>diagnosis</u> of or behavioral indications of dementia.

2. There may be a <u>health care crisis</u> or an event that takes a serious toll on physical and mental health. This may be a stroke or a broken hip.
3. There may be a sobering, <u>short-term stay in a skilled nursing facility</u> for rehabilitation purposes after a hospitalization. That event educates you about the surprisingly high cost of care. You may learn for the first time that Medicare does not cover the ongoing cost of skilled nursing care.
4. There may be <u>challenging problems and profound needs</u> on the part of your children, particularly if one is disabled and has "special needs." As a result, you must plan to protect your assets for the benefit of that child.
5. There may be a consuming need or <u>desire to protect your residence</u>, regardless of care needs that you may have.

## A. Living At Home with Indications of Memory Loss and Dementia

If memory begins to fade to the point of distraction, a visit with an experienced internist or neurologist is in order. A careful review of estate planning documents and asset protection opportunities is similarly essential.

- Are appropriate, trusted individuals given authority to manage your affairs if you become incapacitated?

- Do your documents authorize your trusted agents (trustees, attorneys in fact, etc.) to take appropriate steps if you are unable to act on your behalf in the future?

- If, above all, you want to remain at home – even to the point of exhausting your assets – do your family members know this? Do your documents carefully reflect this objective?

- If you want to protect your assets, and your residence, in particular, should you do it now? Should you do it before a health care crisis arises?

## B. Planning to Protect Your Residence

For many, the family home is special. It is your very personal legacy, something you want to preserve for your children and grandchildren. You abhor the thought of losing it for any reason.

Your residence can be protected. It can be protected even if nursing home care is unavoidable. Appropriate steps must be taken now, while you have the ability to act and while the law allows it. It can be done in such a way that your right to continue living in your home is simultaneously protected.

Planning steps to protect your residence are discussed in Chapter Ten.

> *[The residence] can be protected, even if nursing home care is unavoidable.*

## C. You Are About to Enter a Skilled Nursing Facility

You are in a crisis mode. Entry to a skilled nursing facility is imminent. You cannot afford the cost without facing personal bankruptcy. You do not have long-term care insurance. Nevertheless, it is not too late to plan.

It is still possible to protect your assets and qualify for Medi-Cal if there is a desire to do so. The residence can be protected. The estate claim or "Medicaid lien" can be avoided.

If Medi-Cal is to become the primary source of payment for the cost of skilled care, you must be careful to choose a skilled nursing facility that is Medi-Cal certified. If a particular nursing home is exclusively "private-pay," it will not accept Medi-Cal as a source of payment. Even if you enter the facility and remain for some period of time, you will not be able to remain in that facility if your assets are exhausted.

## D. You Are Already In a Skilled Nursing Facility

It is never too late. So long as an individual is in a Medi-Cal certified facility, steps can be taken to protect assets and achieve eligibility. Converting or changing from "private-pay" to Medi-Cal as a source of payment cannot be grounds for eviction in a Medi-Cal certified facility.

---

*It is never too late.*

---

It is sometimes the case that an individual in a skilled nursing facility suffers from dementia or is otherwise unable to make decisions and act on her own behalf. Even then, it is not too late.

The Durable Power of Attorney or trust may authorize protective steps. If not, it is possible to go to court to obtain a court order allowing for the protection of assets and eligibility for Medi-Cal. A court petition to achieve asset protection makes an obvious, yet powerful point: if a reasonable person would take a particular step to protect her assets, her incapacity should not be a barrier. This is the concept of "substitute judgment."

## E. Act Now, the Law *Will* Change

Medi-Cal eligibility and planning opportunities are discussed in Chapters Nine and Ten. As explained in Chapter Ten, California's Medi-Cal program allows many protective planning steps and strategies that are available in no other state in the nation. This is because California, and California alone, has failed to implement two major pieces of federal legislation that were designed to restrict planning opportunities in the context of Medi-Cal/Medicaid eligibility. One was the Omnibus Budget Reconciliation Act of 1993 (OBRA '93). The other was the Deficit Reduction Act of 2005 (DRA).

California could implement regulations to adopt and integrate key aspects of federal Medicaid law at any time. Once that is done, planning options will still exist, but will be more limited. Gifting strategies, in particular will be much more limited. It will be much more difficult to protect a residence. Many other aspects of law will change and restrict planning.

> *California's Medi-Cal program allows many protective planning steps and planning strategies that are available in no other state in the nation.*

We strongly believe that implementation of OBRA and the DRA will not be made retroactively. This means that planning steps taken before implementation should be reliable and effective.

For more information contact the office of Gilfix & La Poll Associates, LLP or go to our website, www.Gilfix.com.

# Chapter Nine: Medi-Cal Eligibility

Medi-Cal is the only government program in California that can pay all or a portion of the cost of skilled nursing care. Over 65% of nursing home residents depend on the Medi-Cal program. While most exhaust their assets before becoming eligible, wiser individuals plan carefully. They protect all or the bulk of their assets before becoming eligible for Medi-Cal nursing home coverage.

## A. Single Individual

To qualify for Medi-Cal, an individual can have no more than $2,000 in resources. Importantly, a Medi-Cal recipient may retain certain assets without jeopardizing eligibility. These are referred to as "exempt resources."

The most significant exempt resource is a residence. Under current law, there is no cap on the value of an exempt residence. This is the case regardless of whether or not there is a spouse living in the home.

Once the Deficit Reduction Act of 2005 (DRA) is implemented in California, however, there will be a cap on the value of an exempt residence for single persons who are no longer living in their homes. That cap is likely to be in the area of $820,000. Rare is the residence in many California communities that is valued at $820,000 or less. Once the DRA is implemented, therefore, it will be much harder to protect the residence, the family home. This is perhaps the main reason why it is wise to take steps now to protect the residence without giving up the right to live in it.

Other exempt assets include property used in a trade or business, household items, personal effects, burial insurance and a burial plot, and an automobile.

Retirement accounts such as IRAs or 401k plans are not counted so long as the Required Minimum Distributions (RMD) are being made. Once an individual is 59 ½ years of age, distributions can be taken from such accounts without incurring penalties. Once an individual is 70 ½ years of age, minimum distributions must begin.

## B. Married Couple – Protections for the Spouse Who is Still at Home

When one spouse is in a skilled nursing facility and the other is living at home, the spouse in the nursing home can have no more than $2,000 in her name if she is to qualify for Medi-Cal.

When Congress passed legislation to expand Medicaid coverage to skilled nursing care, it was explicit in wanting to avoid impoverishment for the spouse who is living at home. Accordingly, there are both asset and income protections for the spouse living at home. The spouse at home is referred to in federal Medicaid legislation as the "community" or "non-institutionalized" spouse.

> *[Congress] was very explicit in wanting to avoid impoverishment for the spouse who is living at home.*

## 1. Assets and the Community Spouse Resource Allowance (CSRA)

When one spouse is in a skilled nursing facility and applies for Medi-Cal, she can have no more than $2,000 in her name. The spouse at home can have a <u>minimum</u> of $117,240 in 2014. This figure is annually adjusted to reflect cost of living increases. It will be higher in years after 2014.

## 2. Income and the Minimum Monthly Maintenance Needs Allowance (MMMNA)

Acknowledging that reasonable income must also be protected for the spouse at home, Congress provided for a level of income security. When the spouse in the nursing home qualifies for Medi-Cal, the spouse living at home may keep the *greater of* a) all income arriving in her name or b) $2,931 in 2014. This amount, as with the CSRA, is adjusted upward annually.

If income from all sources and arriving both spouses' names is less than $2,931 per month, the spouse at home keeps 100% of the income. In such event, the Medi-Cal program pays the entire cost of care.

If the spouse at home receives income in her own name in the amount of $2,931 or more, all or most of the income arriving in the name of the institutionalized spouse is paid to the nursing home as the "share of cost." After the share of cost is paid, the Medi-Cal program pays the balance of the cost of care.

> *Countless families in California lose the family home in such situations because of a failure to plan.*

### Example 9-1:
### Mrs. T's High Income – Keep It All

*Assume Mr. T, a nursing home resident, has Social Security income in the amount of $1,535. Assume further that his wife, the "community spouse," has Social Security and pension income in the amount of $3,100 per month.*

*Because his wife's monthly income of $3,100 is greater than the $2,931 guaranteed level of income protection, she (the "community spouse") keeps it all. Virtually all of Mr. T's income must be paid to the nursing home as his share of cost.*

## Example 9-2:
## Mrs. B Keeps Her Income and Most of Mr. B's Income

*Mr. B, another nursing home resident, has $2,000 in monthly income. His wife's income is $1,200. In this example, Mrs. B. – the community spouse – keeps the CSRA of $2,931 because it is higher than income arriving in her name. Most of the balance is paid monthly to the nursing home.*

*Chapter Ten explains how the presumptive level of income, $2,931 in 2014, can sometimes be increased to substantially higher levels.*

**Your Residence Can Be Lost! Unless you plan carefully, it can be lost when the State seeks Medi-Cal reimbursement.**

When a person enters a nursing home, it is comforting to learn the residence is "exempt." He can retain ownership while also achieving eligibility for Medi-Cal. He probably wants to retain ownership for many reasons, not the least of which is the never-ending desire to return home.

*Because of this seemingly attractive opportunity, countless individuals and families in California lose the family home.* They fail to understand that, when a recipient of Medi-Cal benefits in a skilled nursing facility dies, the state wants its money back. If the individual still owns her home, a claim can and will be asserted against the home to be sure that the state recovers its money. Importantly, holding title to the residence in a revocable living trust does not offer protection. Such claims can be $5,000, $80,000, $300,000, or more.

The State Medi-Cal program is required to send notice to Medi-Cal recipients of this potential exposure. Nevertheless, the warning is too often misunderstood or ignored. The recipient may not understand that options exist.

Steps can be taken to protect the family residence without disturbing eligibility for Medi-Cal. The Medi-Cal reimbursement claim can be avoided. The best approach is discussed in Chapter Ten.

# Chapter Ten: Protect Your Assets and Qualify for Medi-Cal

*"Don't do this at home!" The rules are complex.
Pitfalls are everywhere.*

In identifying a number of planning strategies, two critically important points are emphasized:

1. The law constantly changes; strategies continually evolve.
2. Everyone is unique. Every plan is different.

## A. Protect Your Residence!

In California, a residence of any value is an exempt resource. Its value is not counted in determining eligibility for Medi-Cal. This can be a single family home, a duplex in which the individual resides, or a mobile home.

It is an opportunity – and a problem – that ownership of a residence can be retained without jeopardizing Medi-Cal eligibility. An individual can even be in a skilled nursing facility, receive Medi-Cal benefits, and still count the residence as an exempt resource so long as she "intends to return home." As we all know, everybody intends to return home.

The problem is that the state will seek reimbursement for Medi-Cal benefits paid on behalf of an individual if she still owns an interest in her residence. It may be in her name only, in joint tenancy with a child, or in her revocable living trust. Regardless, this exposure is very real.

The ignorant and the uninformed learn that the residence is exempt, retain ownership and simply maintain the status quo while receiving Medi-Cal benefits. Upon death, a reimbursement claim is submitted. More often than not, the home has to be sold to satisfy the claim. The home is lost.

### Example 10-1:
### Mrs. L and her Needy Daughter

*Mrs. L entered a nursing home at age 82. She had one child, Jennie, who worked at a minimum wage job and lived in the family home with her mother. Mrs. L had limited assets. Medi-Cal paid most of her cost of care.*

*Mrs. L had a living trust and her home was titled in the name of her trust. Mrs. L's dream and belief was that her daughter would inherit her modest home and have a safe place to live.*

*She died over four years later. Added to Jennie's grief was a notice from the State Medi-Cal office. It demanded over $200,000, the amount paid for Mrs. L's skilled care by the nursing home.*

*Jennie was forced to sell the only home she knew, pay off the claim, and find a new place to live. Jennie lost her mother, her home, and the neighborhood community in which she grew up.*

*Mrs. L's and Jennie's outcome is not inevitable. Steps can be taken to protect the residence from the estate claim.*

**CAVEAT:** This discussion focuses on steps that can be taken to protect the residence when Medi-Cal may be needed to pay the cost of skilled nursing care, in particular. It explains that the residence can be protected, typically by giving up ownership. This step – giving up ownership of one's residence – is a major step. It should only be taken if there is a complete understanding of the benefits and the downside, which is most obviously the fact that the individual will not own it anymore. Review the following discussion with this in mind.

California allows an individual to transfer ownership of the residence without disturbing eligibility for Medi-Cal. The residence may be transferred to anyone or to any trust. This is not allowed in any other state in the nation. California has its own set of rules that must be followed and that allow opportunities. Keep in mind that this planning option is anything but permanent in the law. It could disappear at any time.

Outright transfer of the residence to a child or children is rarely a good idea. Important tax opportunities can be lost. The right to live in the house may be lost. Other protections and opportunities may be lost.

Some advise the transfer of the residence with a retained "life estate." This is done so that the homeowner, a potential or current Medi-Cal recipient, retains the right to live in the property. There will also be a "stepped-up basis" at the time of death. While this approach has been and continues to be available in California, it is not preferred.

It is not preferred, in part, because federal law explicitly provides that states can assert an estate claim or reimbursement claim when there is a retained life estate. California allows the life estate approach and does not assert reimbursement claims against family members who receive the property. There is always the possibility that the State Medi-Cal program will change its approach to assert the reimbursement claim when a life estate is in place. For this reason, among others, we recommend a different, more sophisticated approach.

1. Recommended to Protect the Residence: A Specially Crafted Irrevocable Trust

The residence may be transferred to a sophisticated irrevocable trust to capture remarkable Medi-Cal, tax, and other protections. There will be these benefits:

- Eligibility for Medi-Cal will be unaffected.
- The homeowner's right to live in or return to the residence can be protected.
- The Medi-Cal reimbursement claim, however large, will be avoided.
- Upon death, there is a complete "stepped-up basis." The property can then be sold without exposure to capital gains tax.
- If the property ultimately goes directly to children or to a trust or trusts established for their benefit, property taxes do not go up.

> *The residence may be transferred to a sophisticated irrevocable trust to capture remarkable Medi-Cal, tax, and other protections.*

Proposition 13 protections remain intact.

This trust can take many forms. Tax and other critical provisions depend on the circumstances, the value of the property, and many other factors. There is no "one size fits all."

We very strongly recommend its use. It is a classic "win-win."

## 2. Impact of the Deficit Reduction Act of 2005 (DRA) and the Omnibus Budget Reconciliation Act of 1993 (OBRA) on Residence Protection

Under provisions of federal Medicaid law in place in every state *except* California, a residence enjoys limited protection.

First were provisions of the Omnibus Budget Reconciliation Act of 1993 (OBRA '93), designed to restrict asset protection planning in the context of "Medicaid planning." Second was the Deficit Reduction Act of 2005 (DRA), which added even more restrictions.

This federal legislation provides, with limited exceptions, that transfer of the residence will generate a period of ineligibility that will be months or years in length. California has implemented key provisions of neither OBRA '93 nor the DRA as of mid-2014.

Once this legislation is implemented, the opportunity to transfer the residence without a negative impact on eligibility and to protect it from the Medi-Cal reimbursement claim will be rarely available.

Even federal law, however, provides planning opportunities. These are exceptions to the general prohibition of a penalty-free transfer.

For example, federal law allows the transfer of the residence – without penalty – to any of the following:

- A spouse;
- A minor or disabled child;
- A brother or sister who has some ownership interest in the property; or
- A "caregiver" child.

To qualify as a caregiver child, it must be shown that the child lived with the parent in the residence for at least two years before the parent entered a nursing home. It must further be shown that the child's care enabled the parent to avoid nursing home placement for at least two years. In a very real sense, it is meant as a reward to a child who takes care of the parent. Careful documentation is necessary if this opportunity is to be pursued.

3. Avoiding State Reimbursement After the Medi-Cal Recipient Dies

Even at the 11th hour – after the Medi-Cal recipient has passed and the repayment claim is submitted – it is possible to avoid the claim. For example, it can be avoided if the residence is left to a disabled child.

### Example 10-2:
### Mrs. J and Her Disabled Son

*Mrs. J was in a nursing home as a Medi-Cal recipient for two years before her passing. The Medi-Cal program demanded a $72,000 repayment.*

*Mrs. J's 50 year old son is disabled due to autism. Because he is disabled, and to inherit the house, the state's reimbursement claim is entirely avoided.*

*This is but one of the exceptions or defenses that can be used to avoid repayment claims even after a Medi-Cal recipient dies.*

> *You should obtain the best advice and utilize the most effective tool to be certain that the family home is protected.*

Obtaining eligibility for Medi-Cal can save tens or hundreds of thousands of dollars. Enjoying eligibility also creates a potential claim against the estate or the residence for tens or hundreds of thousands of dollars. For this reason, you should take no chances. You should obtain the best advice and utilize the most effective planning tool to be certain that the family home is protected.

## B. Court Petition to Increase Asset Protection for the Spouse Living At Home

The spouse living at home enjoys a level of asset protection. This is the Community Spouse Resource Allowance (CSRA). In 2014, the minimum level of nonexempt (cash, stocks, bonds) asset protection for the spouse living at home is $117,240. This means that, at the time the institutionalized spouse qualifies for Medi-Cal by having no more than $2,000 in his name, the spouse at home can have $117,240 in her name.

The CSRA is annually increased, so the amount will be higher in subsequent years.

It is important to understand that the CSRA is a *minimum* level of protection, not a maximum.

If the spouse living at home has and wishes to keep more than $117,240, it is sometimes possible to obtain a court order increasing the CSRA to $200,000, $300,000 or even more.

Federal Medicaid law explicitly provides for this opportunity. It is only available when there are appropriate facts and circumstances. An experienced attorney can readily determine the availability of this planning opportunity. Circumstances may justify a much higher CSRA.

For example, the spouse living at home may have serious medical needs of her own. She may need expensive home care, have a very substantial mortgage, or otherwise be economically threatened if she can only retain $117,240.

## Example 10-3:
## Mrs. P's $220,000 Court Order

*Mr. P has suffered for three years with dementia. His wife has been his full-time caregiver. In the year before he was forced to enter a nursing home, he slept little, wandered the house all night, and even tried to leave his home – "to get out of here and go home."*

*Caregiver stress caused Mrs. P's health to suffer. She now needs help at home. Her cost of living is over $5,000 per month, $2,500 being the cost for own caregiver. Mr. P is paying $7,500 per month for nursing home care.*

*They had $800,000 in investments in addition to their home. Caregiving and other costs have left Mrs. P with only $220,000. Their combined income is $2,500 per month.*

*Rather than "spend down" to $117,240 by paying their monthly costs, Mrs. P may go to court to protect her remaining money. Her argument is simple, yet compelling: Unless she can keep their remaining $220,000 to pay her own home care costs, she will soon be destitute. She may then be forced to leave her home and enter a care facility.*

*Given these facts, it is perhaps probable that a judge would sign an order to this effect.*

   ✴   *Mrs. P <u>keeps $220,000</u> as her increased CSRA.*

   ✴   *Mr. P becomes <u>Medi-Cal eligible immediately.</u>*

## C. Court Petition or Administrative Hearing to Increase Income Protection for Spouse Living At Home

When one spouse is in a nursing home and becomes eligible for Medi-Cal, there are income protections for the spouse still at home.

> *It is possible... to increase the level of income protection for the spouse at home.*

The presumptive level of income protection for the spouse living at home (the MMMNA) in 2014 is $2,931. Remember: The spouse living at home may keep much more than this if she receives more in her name. For example, she may be working and have a monthly income of $5,000. In such event, she keeps every penny. This is often referred to as the "name on the check" rule.

It is possible, in appropriate circumstances, to obtain a court order or a favorable administrative law ruling that increases the level of income protection for the spouse at home. She may have a demonstrated need for much higher income to maintain her standard of living – or to cover the basics of life. This approach, when available, can make a remarkable difference for the quality of life for the spouse still living at home.

## D. Conversion of Nonexempt Assets to Exempt (Protected) Assets

Cash, stocks, and similar assets are nonexempt, which means they count when determining eligibility for Medi-Cal. Rental and investment real property is similarly counted. Some assets, most obviously the residence, are not counted because they are exempt.

If an individual has a $200,000 mortgage on her "exempt" home and $300,000 in the bank, she can protect $200,000 by paying off the loan. If her husband is in a nursing home, she can retain the remaining $100,000 since it is under the presumptive protected level (the CSRA) of $117,240. Keep in mind that there is no limit on the value of an exempt residence under current California law.

She can also spend money to maintain or improve her residence.

She can sell her existing residence, pool the net proceeds with other money, and buy a much more expensive residence.

She can put money into a burial trust and buy a burial plot.

Done judiciously, significant resources can be protected by converting them into appropriate "exempt" forms. There are many rules and regulations defining limits on such approaches. They are nevertheless worth examining and utilizing when appropriate and helpful.


## E. Life Insurance

Life insurance is not an exempt resource. If the death benefit exceeds $1,500 in value, as they all do, any cash value counts as if it is cash in the pocket of the policy owner. This means that the cash value must be counted as part of the CSRA (resource allowance) for a married individual. If the individual is single, there is virtually no protection since she can retain no more than $2,000 while qualifying for Medi-Cal.

In some circumstances, it makes sense to cash in a policy and take steps to protect the resulting liquid assets. In others, ownership of the policy, and its underlying cash value, can be transferred to another by way of gift. While this may create a period of Medi-Cal ineligibility, it can be prudent in some circumstances. It may also be retained as part of the CSRA.

## F.  Retirement Accounts

Individual Retirement Accounts (IRAs), 401k plans, 403b plans, and other similar retirement accounts are not counted as assets so long as the Required Minimum Distributions (RMD) are being taken.  The vast majority of potential Medi-Cal applicants are of an age (59 ½ or older) when such distributions may be taken.  Most are of an age (70 ½ or older) when the RMD must be taken.

There is some concern about Roth IRAs.  There is no "Required Minimum Distribution" for a Roth IRA, so its protected status is somewhat in question.  We nevertheless believe that Roth IRA assets can be protected.

Notwithstanding the fact that assets in an IRA are not counted for determining eligibility, IRAs and similar accounts present challenges and opportunities.  If a monthly IRA distribution is of such size that it exceeds the protected level of income, the entire distribution might be paid to the nursing home as part of the "share of cost."  The money is effectively lost.

For this reason, in some circumstances, an IRA may be cashed in, the resulting income tax liability satisfied, and steps taken to protect the resulting net assets.

Many planning considerations have to be taken into account.  Many calculations have to be made.  This is a planning opportunity that is sometimes appropriate, sometimes unwise. It is always complicated.

## G. Hire Family Members to Provide Services

While there are many rules pertaining to gifts or asset transfers, there is no limit to the amount of money that can be spent. If an individual is living at home and needs help, family members often provide that help out of love and devotion. They expect no compensation. Nothing prevents the parent or grandparent, however, from paying the caregiver child or grandchild a reasonable rate for help and support at home.

This may be done on a weekly or monthly basis. Also available are lifetime care agreements that are complicated but sometimes ideal.

If this approach is chosen, there must be a written care or personal services agreement so that a Medi-Cal eligibility worker will not someday characterize such payments as gifts. Income tax liability is generated, so this is not always an optimal approach.

## H. Use of Annuities

Pre-existing annuities typically present problems, not opportunities. The cash value of an annuity will count as a resource unless it is a "Medi-Cal compliant" annuity. The problem is that these rules are evolving. Once the Deficit Reduction Act of

2005 (DRA) is implemented in California, a host of new rules and limitations will create problems for any preexisting annuities.

Accordingly, annuities are typically terminated or transferred if they are to be protected under current law. As we look to the future – once the DRA is implemented – there will be a growing role for properly structured annuities.

## I. Transfer of Cash and Other Nonexempt Assets

**CAVEAT:** Be careful and be cautious about giving away assets. Before transferring assets to achieve Medi-Cal eligibility or for any other reason, carefully consider the consequences. Be sure you are comfortable giving up ownership and control of money, stock, or real property. Realize that you may become less independent, less able to make choices. Be sure that you will be able to sleep well at night.

There are also tax and other legal issues that arise when gifts are made. Never make gifts before consulting with a competent attorney who understands not just Medi-Cal, but also gift, estate, capital gains, income, and property tax implications, as well. Consult with an attorney who understands all options and approaches to paying the cost of long-term care, who understands how emotionally difficult it can be to give away modest assets, or a lifetime's earnings.

When an individual learns that she can have no more than $2,000 if she is to qualify for Medi-Cal, she typically asks, "Can't I just give it away?" The answer, of course, is that it is not that simple. Periods of ineligibility flow from most gifts.

She then asks, "Well at least I can give away the $10,000 'annual exclusion?'" No, she can't.

First, the $10,000 annual exclusion has increased over the years. It is now $14,000 that can be given away to any number of individuals without reporting such gifts to the IRS. Such gifts, however, are not invisible in the eyes of Medi-Cal. If an individual makes a gift of $10,000 or $14,000, she will be ineligible for Medi-Cal while in a skilled nursing facility for a period of one month. Care must be taken whenever assets are to be transferred.

Because California has not yet implemented OBRA '93 or the DRA, planning opportunities exist that are unique to California.

> *Gifting approaches available today will disappear at any time.*

**We reemphasize: Gifting approaches available today will disappear at any time.** Once the DRA is implemented in California, many gifting strategies will either be eliminated or very substantially modified. Great care must be taken.

No gifting or asset transfer steps are to be taken without advice and guidance from an experienced attorney. They raise many serious tax challenges.

The Gilfix & La Poll Associates, LLP website (www.Gilfix.com) maintains up-to-date information about Medi-Cal eligibility.

1. Consecutive Giving, Avoiding Large Gifts

Every year, the State of California identifies the "average private-pay rate" (APPR). It is the average monthly cost of skilled nursing care. For most of 2014 and into 2015 that figure is $7,549. It will increase somewhat annually.

The amount of a gift is divided by this figure. The following calculation shows the Medi-Cal implications of a $100,000 gift made within the 30 month period before an application is submitted.

*$100,000 ÷ $7,549 = 13.25 months of ineligibility*
*"Round down" to 13 months*
*Period of ineligibility: 13 months*

In 2014, a gift of $100,000 will create a 13 month period of Medi-Cal ineligibility if an individual is in a skilled nursing facility.

Alternatives present themselves. A person with $100,000 could instead make a gift of $50,000 and accept a period of ineligibility of six months. Because of her fixed income and her retained $50,000, she has enough money to pay the private cost of care for six months.

After the six month period of ineligibility runs its course, her assets are effectively reduced to $2,000 and she would qualify for Medi-Cal. By this approach, under current law, $50,000 will be protected.

> *Consecutive giving is very complicated and replete with tax, family, and quality of life issues.*

Consecutive giving, typically a more attractive option, is very complicated and replete with tax, family, and quality of life issues. We cannot over-emphasize the need for experienced legal advice if this approach is considered.

As an example, and instead of a $50,000 or $100,000 gift, the individual may make a series of $10,000 gifts, carefully structured within the same month. Because each gift is separately analyzed, the resulting period of ineligibility is only one month.

---

*California allows "consecutive giving."*

---

This remarkable outcome is achieved only because California is yet to implement critical aspects of federal Medicaid law. This will change at some point in the near future. It is a virtual certainty that this opportunity will then be lost.

When asset transfers are being made, there are strict rules about the timing of such gifts and the completion of such gifts. A carefully structured plan must be developed and implemented if this approach is to be effective. It must take into account many tax issues. It must be implemented in such a way that independence, quality of life, and quality of care needs are not compromised.

## 2. Transfers or Gifts that Do Not Harm Eligibility

While most transfers will result in a period of ineligibility for Medi-Cal, some are protected under federal and state law. For example, any amount of money can be given to a disabled child or a Special Needs Trust established for the benefit of a disabled child without any negative impact on eligibility. This is imbedded in federal law and is not likely to change.

Accordingly, a special planning opportunity exists if a potential nursing home resident has a disabled child. In such circumstances, the crafting of an appropriate Special Needs Trust is always needed.

See Michael Gilfix, *Special Needs Trust Creation and Management Guide* (2014). This publication is available from the office of Gilfix & La Poll Associates, LLP.

> *[A]ny amount of money can be given to a disabled child or a Special Needs Trust established for the benefit of a disabled child.*

## 3. Tax and Special Needs Planning Considerations

A gift that exceeds the $14,000 annual exclusion to any one individual must be reported on a federal Gift Tax Return (Form 709). It is highly unlikely that gift tax will be due, but this technical legal requirement must be satisfied. The attorney providing assistance must be familiar with this and related aspects of federal tax law.

Tax treatments of gifts to Special Needs Trusts illustrate the need for tax planning expertise. While protected for purposes of Medi-Cal eligibility, transfers to such trusts do not qualify for the "annual exclusion." This means that there is no amount of money, not even $10,000 or $14,000, that can be transferred to a Special Needs Trust without the resulting need for a federal Gift Tax Return.

To maximize long-term, multi-generational planning benefits, asset transfers are often made to Dynasty or Family Protection Trusts. Such trusts protect assets from divorce and erect a very high barrier in the event that a child is ever sued. Moreover, assets received in such a trust are not

> *To maximize long-term, multi-generational planning benefits, asset transfers are often made to Dynasty or Family Protection Trusts.*

counted as part of a taxable estate of the child. At that child's passing, a small fortune in estate tax exposure can be avoided.

For a discussion of Dynasty Trusts and other sophisticated tax planning opportunities, obtain *Beat Estate Tax Forever* (2013), authored by Michael Gilfix. This publication is available from the office of Gilfix & La Poll Associates, LLP.

The important point is that gifting is to be done with great care, with ample advice, and only after there is certainty about risks and outcomes.

### 4. A Gift is a Gift. Be Careful!

A parent may make a substantial gift to a child, but still assume that the money is hers. It is not. To be effective, a gift must be a completed transfer. The parent can retain no interest in those assets.

If a child someday wants to provide financial assistance to his parent, he may do so. This means, in turn, that an individual contemplating significant asset transfers must understand the finality of a gift. He must be certain that he will sleep at night after making such gifts.

*[Gifts] should never be recommended by an attorney or other advisor without ample warnings about the loss of control and potential financial dependency on others.*

Logically, a parent must be careful about gifts to a child whose marriage is unstable, who is on the verge of bankruptcy, or who is exposed to threats of litigation. A child in poor health may face her own medical expenses. There is always the possibility that a child who receives a parental gift will predecease her parent.

Finally, gifts and asset transfers are not for everyone. An individual may have sufficient funds to pay privately for the cost of care. Perhaps more importantly, such steps should never be recommended by an attorney or other advisor without ample warnings about the loss of control and potential financial dependency on others.

It is for these reasons that gift recipients, typically the children, are advised to protect their parents. For example, they may establish and transfer money into a Special Needs Trust for their parents. The existence of such a trust will not interfere with Medi-Cal eligibility. It will provide a financial safety net for the parents as long as they live.

## 5. Be Careful About Making Gifts: The Deficit Reduction Act of 2005 is on the Immediate Horizon

Implementation of the DRA is inevitable and will materially change Medi-Cal asset transfer rules.

Under terms of the DRA, asset transfers will result in punishing periods of Medi-Cal ineligibility. It will present a dramatic change from the law as written and applied in pre-DRA 2014. With this in mind, it may be wise to make transfers that take provisions of the DRA into account.[16]

## 6. How Gifts Will Be Viewed Under the DRA

Remember, the federal DRA is not yet implemented in California. Once it is, the period of Medi-Cal ineligibility that results from asset transfers will be dramatically longer than under current law. If you are reading this book in late 2014 or at a later date, either contact the office of Gilfix & La Poll Associates, LLP or go to our website (www.Gilfix.com) for information about the current status of the law. You will need specific advice about the impact on your particular situation.

---

[16] See Michael Gilfix's article, "Throw Mama From The Train," in the March 2006 issue of *Trusts & Estates Magazine, The Journal of Wealth Management for Estate Planning Professionals.* This article is available from the office of Gilfix & La Poll Associates, LLP or online at www.Gilfix.com. It explains the impact of gifts on Medicaid eligibility under the DRA, as well as other changes.

## J. Ensuring Protection for the Nursing Home Resident

It is not enough to protect assets and qualify for Medi-Cal in a long-term care setting. It is equally important, if not more important, to be certain that quality of care is not compromised as a result.

Chapter Twelve identifies many steps that can be taken to monitor quality of care in a skilled nursing facility, in particular. Steps can also be taken to be certain that funds will be available to pay for items and services that are inadequately or incompletely provided by Medi-Cal when it becomes the primary source of payment. The Medi-Cal recipient, who can have no more than $2,000, has no money to pay for supplemental, private caregivers or for the services of a private physician who does not accept Medi-Cal payments.

When a parent has made significant asset transfers, recipients are well-advised to protect those assets and make them available for the benefit of the parent when needed. Most protective is the establishment of a Special Needs Trust for the benefit of a parent. Any amount of money can be placed in a Special Needs Trust for the benefit of a Medi-Cal recipient without jeopardizing ongoing eligibility. Funds in such a trust can be used to pay for items or services that would otherwise be unavailable.

This conservative approach is recommended because assets received by a child or children could be jeopardized or lost as a result of divorce, lawsuits,

112

bankruptcy, or the premature death of a child.  It is not enough to be well-meaning and well-intentioned. Steps should be taken to virtually ensure that supplemental financial resources will be available.

Upon the death of the parent, who is the Medi-Cal recipient, the Special Needs Trust terminates and assets remaining in such a trust are distributed to identified beneficiaries.  Those identified beneficiaries are typically the children and/or grandchildren of the nursing home resident.

Other alternatives exist, although none are as secure as a Special Needs Trust into which a child or children transfer assets.  Such alternatives include a joint account where funds can be accessed by signatures of both children who established the account and maintain it for their parent's needs.

## K.  Other Strategies Exist

This chapter was designed to identify the more salient, prevalent planning options.

No effort was made to identify and explore every planning strategy that exists.  There is no discussion, for example, of divorce.  In California, it is rarely appropriate for asset protection purposes.  It raises a host of emotional, religious, and other challenges.

Sometimes intra-family loans make sense. Family members may purchase the residence.  A parent may purchase a life estate in a child's home and live in it for some period of time. Other permutations are endless.

Every situation is different. Every asset protection plan is different. An appropriate plan can only be developed after facts are analyzed and sensitivities explored.

> *Every situation is different. Every asset protection plan is different.*

Michael Gilfix
Mark R. Gerson Gilfix

# Chapter Eleven: Tax Implications of Asset Preservation Planning

*"No attorney can properly advise about Medi-Cal and asset preservation planning without a thorough understanding of tax."*

Asset preservation planning of any nature is laden with tax issues and opportunities. This is particularly true of planning in long-term care and Medi-Cal settings when assets may have to be transferred, creative trusts established, and real property retitled.

It is of great concern that many attorneys and non-attorneys who advise families about "Medi-Cal planning" are ignorant of or, at best, unsophisticated about myriad tax planning challenges.

At minimum, Medi-Cal and asset protection planning present tax issues in the following areas:

- Gift Tax
- Estate Tax
- Capital Gains Tax
- Property Tax
- Income Tax

## A. Gift and Estate Tax

There is a great deal of confusion about the tax implications of gifts. Much of it focuses on what the "annual exclusion" – typically thought of as a $10,000 gift – is and is not.

> *There are at least four serious misunderstandings about gifts and tax.*

The annual exclusion is the amount of money that one individual can give to another without reporting it to the IRS. It has no tax consequences whatsoever. The person making the gift does not have to report it. The person receiving the gift does not have to report it.

There are at least four serious misunderstandings about gifts and tax.

Misunderstanding #1:
*Amount of the Annual Exclusion.*

Most think of the annual exclusion as the $10,000 gift that can be made each year. In fact, the annual exclusion is indexed. The annual exclusion in 2014 is $14,000. This means that one person can give $14,000 to as many individuals as he or she likes

– related or unrelated – without reporting such gifts to the IRS. This can be done year after year. Such gifts do not erode the lifetime exclusion discussed below.

<u>Misunderstanding #2:</u>
*$10,000 gifts have no impact on Medi-Cal eligibility.*

Many believe that a person can give away $10,000 or $14,000 and that it will have no negative impact on Medi-Cal eligibility. This is not true. Remember, the annual exclusion exclusively relates to gift tax. A $14,000 gift <u>will</u> create a period of ineligibility for a skilled nursing facility resident. We see many persons who have made themselves ineligible because they thought they could make gifts of $14,000 or less without consequence.

<u>Misunderstanding #3:</u>
*A person who gives away more than $14,000, will have to pay gift tax.*

Not true. This is the most important point made in this discussion. In 2014, an individual can give away $5,340,000 without paying any gift tax whatsoever. This is independent of, and in addition to, the $14,000 annual exclusion. It is hard to imagine an individual with assets in excess of this amount who would give those assets away to qualify for Medi-Cal. Put differently, it is inconceivable that gift tax would have to be paid as a result of asset transfers in the context of Medi-Cal planning.

> *It is inconceivable that gift tax would have to be paid as a result of asset transfers in the context of Medi-Cal planning.*

Misunderstanding #4:
*The recipient of a large gift must pay income or other tax on that amount.*

This is not true. The receipt of a gift is not a taxable event, regardless of the amount.

In summary, an individual with an estate consisting of $5,340,000 or less will be exposed to no estate tax upon death or will be exposed to no gift tax even if all assets are given away prior to death.[17] Here is a chart summarizing the gift and estate tax rules for the past few years, as of 2014.

---

[17] For a more complete discussion of estate tax planning and avoidance, see Gilfix, Michael, *Beat Estate Tax Forever* (2013). This publication is available from the office of Gilfix & La Poll Associates, LLP.

## Chart A
## Estate and Gift Tax Protection

| Calendar Year | Highest Estate Tax Rate | Estate Tax Exemption | Highest Gift Tax Rate | Gift Tax Exemption |
|---|---|---|---|---|
| 2011 | 35% | $5,000,000 | 35% | $5,000,000 |
| 2012 | 35% | $5,120,000 | 35% | $5,120,000 |
| 2013 | 55% | $5,250,000 | 40% | $5,250,000 |
| 2014 | 40% | $5,340,000 and beyond[18] | 40% | $5,340,000 and beyond[19] |

## 1. Federal Gift Tax Return (Form 709)

There is one important step that must be taken when assets are transferred in the Medi-Cal planning context. If one person gives more than $14,000 to another in the same calendar year, it must be reported to the IRS. This is reported on a federal Gift Tax Return (Form 709). The attorney providing guidance and advice will typically prepare this important form as part of the planning process. To properly prepare a Form 709, the attorney must understand (1) how assets are required to be valued

---

[18] Indexed for inflation.
[19] Indexed for inflation.

by the IRS, and (2) who is qualified to render an appraisal for tax purposes. Traps abound for the non-tax attorney. Sophistication is required.

Alternatively, of course, a CPA can prepare required Gift Tax Returns.

## B.  Capital Gains Tax

Capital gains tax is paid on the profit one enjoys after selling an asset. A thorough understanding of capital gains tax is simply essential. In the context of asset transfers, ignorance about capital gains tax results in mistakes that can cost California families hundreds of thousands of dollars or more.

## 1. Capital Gains Tax Rate

The capital gains tax on a sale in California can exceed 30%. The federal capital gains tax rate is 20%. California's highest marginal capital gains tax rate is 13.3% (which is deductible on the federal return). In addition, the Affordable Care Act ("Obamacare") can impose an additional tax of 3.8%. If an individual sells an asset and has a profit of $100,000, the capital gains tax would presumptively be $33,000. It is a serious tax that must be minimized or, ideally, avoided. It is particularly important to understand capital gains tax and its avoidance when planning for Medi-Cal eligibility or reimbursement claim avoidance, which typically involves the transfer or retitling of significant assets.

## 2. Cost Basis

To determine capital gains tax exposure, it is first necessary to understand the meaning of "cost basis." Cost basis initially reflects the price paid for a particular asset. If a vacation home is purchased for $200,000, the cost basis is $200,000. If a share of stock is purchased for $20, the cost basis is $20.

If the vacation home is sold for $500,000, the profit – the difference between the price received when selling the property and the original cost – is $300,000. The resulting tax is approximately $100,000.

If the share of stock is sold for $30, there is a $10 profit or capital gain. The capital gains tax on the $10 profit is $3.

This tax is often avoided when an asset is sold by heirs after they inherit it. If the share of stock referred to above is in the estate of an individual who dies, the heirs will receive a "stepped-up basis." This means that the cost basis increases to reflect the fair market value of the share of stock on the date of death. If the stock is worth $30 on the date of death, the new cost basis is $30. If the individual who inherited that stock sells the share for $30, the new cost basis of $30 is subtracted and the capital gain is $0. No capital gains tax would be due. If the heirs inherit the home, it would have a basis of $500,000. They could then sell it for $500,000 with no tax.

> *...very serious,*
> *sometimes catastrophic*
> *problem...*

The very serious, sometimes catastrophic problem is that the cost basis does not increase if the asset is *given* to another person before death. This is what often happens in the context of Medi-Cal planning. In the example given above, the share of stock might be transferred from a parent to a child as a gift. The child would then take the parent's original $20 cost basis. If the child then sells the stock for $30, $3 in capital gains tax would be owed for every share of stock that is sold.

In the vacation home example, the tax would be $100,000 if the child sells the home for $500,000 because of the transferred, very low cost basis.

## 3. Capital Gains Tax Protection for Residence

It is rather typical for the family home to have a cost basis of $50,000 to $100,000 when the current value is $1 million or more. Understanding the tax implications of selling a residence is of obvious importance.

A homeowner may sell his or her residence and protect $250,000 of profit or "capital gain" from this tax exposure. A married couple may protect $500,000 when selling their residence. If the residence is transferred to a child, this protection is lost. To recapture this tax benefit, the child must be on title and live in the home for at least two years. It would then become the child's residence. This is often not practical. Since the child would therefore have the parents' original low cost basis, the capital gains tax would be in the hundreds of thousands of dollars if the child sells the home.

Too often, an individual receives inadequate advice or practices self-help and transfers a residence to avoid a Medi-Cal estate claim without any attention to the looming capital gains tax problem. In a recent matter, a $40,000 Medi-Cal claim was avoided, because the parent, a Medi-Cal recipient, transferred ownership of her home to avoid the Medi-Cal claim. A rude shock awaited the daughter when the house was sold. Sale of the property resulted in a $130,000 capital gains tax bill. With proper planning, both the Medi-Cal claim *and* the capital gains tax could have been avoided.

One approach, discussed in Chapter Ten, is the utilization of a very sophisticated *irrevocable trust* into which a residence can be transferred. This approach avoids the Medi-Cal reimbursement claim. As importantly, it also allows for a complete "stepped-up basis" at the death of the parent so that the property can then be sold without exposure to capital gains tax.

If the child keeps and rents the property, the step-up in basis means a significant increase in the ability to depreciate. This can mean up to 27.5 years of rental income without liability. The child also pays the same low property tax the parent would have paid.

> *Using this irrevocable trust for the residence is a classic example of "having one's cake and eating it too."*

Using this irrevocable trust for the residence is a classic example of "having one's cake and eating it too."

Consider the following example and illustration.

## GOAL: Protection and Sale of Residence
Original Price of Residence or "Cost Basis"
$100,000

Current Market Value
$1,100,000

### Simplistic Planning: The Disaster
Outright transfer of the residence to child to avoid
Medi-Cal claim. The child then sells the home.

| | |
|---|---|
| Net proceeds of sale: | $1,100,000 |
| Cost basis (property received by gift) | - $100,000 |
| Capital gain | $1,000,000 |
| **Capital gains tax due** | **$330,000** |

### Tax-Wise Planning: The Solution
Property transferred to child using irrevocable trust.
Property sold after parent dies.

| | |
|---|---|
| Net proceeds of sale: | $1,100,000 |
| Adjusted cost basis (Stepped-up basis at parent's death) | - $1,100,000 |
| Capital gain | $0 |
| **Capital gains tax due** | **$0** |

**Capital Gains Tax of $330,000 Avoided.**
**Medi-Cal Estate Claim of $125,000 Eliminated.**

## C. Property Tax

California's Proposition 13 is near and dear to the hearts of every older Californian. It means that property taxes are minimized and that they increase at a rate of no more than 2% per year. It is not uncommon to find older homeowners paying $1,500 per year in property taxes on a residence valued in excess of $1 million. If that property is instead newly purchased, the homeowner pays at least $10,000 in annual property taxes.

This property tax protection can be preserved for one's children, thanks to Proposition 58. It provides that both one's residence (of any value) plus another $1 million of assessed value for other real property may be transferred from parent to child without property tax increases. Most important for this discussion is the fact that this property tax protection is captured when the above-described irrevocable trust is utilized for other tax purposes.

In some, limited cases, real property can be transferred to a grandchild without property tax increases.

A thorough understanding of California property tax legislation is as essential as is awareness of other state and federal tax challenges.

Michael Gilfix
Mark R. Gerson Gilfix

## D. Income Tax

In some planning contexts, income tax savings can be captured. Consider a situation where a parent transfers most of his or her liquid assets (stocks, bonds, and cash) to a thoroughly trusted child. The parent may do so long before entering a nursing home or other facility because she wants to protect those assets.

The child may then help pay his parent's cost of living since his parent's income is insufficient.

In such situations, the child may be able to take his parent as a dependent on his annual income tax return. This benefit is available if the child pays over half of his parent's annual cost of living. The allowable dependent deduction in 2014 is $3,400.

Still another, potentially more meaningful benefit may be available.

If the child pays any of his dependent parent's medical bills, the child may be able to deduct those payments as medical deductions. This is only possible with regard to medical payments that exceed 7.5% of a tax payer's adjusted gross income (AGI).

> *Medi-Cal and asset preservation planning requires careful attention to countless tax challenges.*

# Chapter Twelve: Ensuring Quality of Care in Long-Term Care Settings

*Critical Role of "Cookies and Thorns"*

Every decade or so, the media rediscovers problems in skilled nursing or other facilities that care for elders and disabled individuals. This does a service and it does a disservice. After the media has its day – inquiries are made, fines levied, and oversight legislation modified – awareness of the problem effectively disappears.

The pervasive fact is that quality of care in such facilities is an everyday problem that requires everyday attention. In large part this is because public oversight agencies do not have sufficient staffing and other resources to protect millions of elders (and disabled individuals) who reside in facilities and in their own homes with hired home care services.

> *Quality of care in such facilities is an everyday problem that requires everyday attention.*

Of particular concern is quality of care in skilled nursing facilities where our most frail and dependent individuals reside. It is often assumed, further, that "Medi-Cal facilities" offer a lower, poorer level of care than those that do not accept Medi-Cal and that are only "private-pay." While there is some legitimacy in this point, it is overstated.

In any skilled nursing facility, there are insufficient numbers of appropriately skilled staff members. If multiple calls for assistance are made simultaneously by a number of residents, some will suffer from delayed responses.

State mandated staffing rules establish minimum levels of patient-staff ratios. There is also a host of legislative and regulatory rules that must be respected. Facilities are inspected. Inevitably, governmental agency oversight is imperfect because of the sheer number of facilities in the State of California. The issue is therefore complex.

Many steps can be taken to insure appropriate quality of care in a particular skilled nursing facility. Many steps can be taken to ensure that a particular resident, a loved one, enjoys enhanced quality of care.

## A. Cookies and Thorns

Most important to quality of care is the concept of "cookies and thorns." This means that family members must visit often and bring cookies for staff members whenever they visit.  Staff members will therefore know these family members because they will look forward to their visits.  This means that, in turn, they will be much more likely to know and have a more personal, responsible relationship with the parent of those who visit and bring treats.

> *Family members must visit often and bring cookies for staff members whenever they visit.*

At the same time, visiting family members must always be a thorn in their side.  If any inappropriate actions are observed – or if there are any signs of neglect – visiting family members must immediately bring it to the attention of staff members and do so vigorously.  This must be the case, regardless of whether or not the person receiving inadequate care is the family member.

> *Family members must always be a thorn in their side.*

This also means that there is no substitute for visiting often to monitor the quality of care. In a way, it is a matter of simple math. If only one staff member is available and two residents simultaneously ask for assistance, the resident with family members in her room is much more likely to receive immediate attention than the one who is without observers and advocates.

We have used this phrase – "Cookies and Thorns" – for over 30 years because it is memorable, because it resonates.

Here is a true story about a client of Gilfix & La Poll Associates, LLP.

> *Mrs. W has only one daughter. Nevertheless, staff members in her skilled nursing facility believe that she has two daughters.*

> *Her daughter, a rather creative individual, randomly drops by in the middle of the night wearing a blonde wig and otherwise dressing uniquely. On such visits, the bewigged daughter is rather demanding. The "other" daughter, who visits during the day, is calmer and tends not to be critical in her day time visits.*

> *Mrs. W's daughter is convinced that her mother receives much more and much better care because her mother has two daughters visiting, rather than only one.*

Visits should be made randomly and as often as possible. If family members visit every Sunday at 10 AM, Mom will receive significant staff attention Sunday morning. If family members drop by three or four times a week and at random times, staff attention is much more likely to be maintained.

For these reasons, many residents and families employ personal aides or companions to give more personal and focused attention over the course of a routine day. This is of the many reasons why asset depletion – as a means of achieving Medi-Cal eligibility – is a bad idea. Some funds must be available to pay for supplemental services, such as companion care providers, to enhance quality of care.

Managing resources and ensuring quality of care is, however, a daunting challenge.

## B. Nursing Home Ombudsman and State Inspection

When problems occur, there are resources available through the State of California.

One resource is the California State Long-Term Care Ombudsman Program. Its responsibility is to investigate and do its best to resolve complaints that relate to individual care in long-term care facilities. Such facilities include nursing homes, residential care facilities, and assisted living facilities.

This program is primarily staffed by volunteers who receive training from the state program. There are 35 local Ombudsman Program Coordinators who are responsible for training and supervising such volunteers.

An ombudsman volunteer has no enforcement authority, but can be helpful and persuasive. Because they are volunteers, experience, availability, and effectiveness vary tremendously. The Ombudsman Program is a resource that, because of its very nature, cannot be relied upon to resolve significant complaints in a consistent manner. It simply does not have the authority to impose decisions and solutions. It tends to focus more on mediation.

Health care facilities in California are also licensed, regularly inspected, and subject to oversight. Such oversight responsibilities rest primarily with the California Department of Public Health (CDPH) Licensing and Certification Program (L&C). On some occasions, the United States Department of Health and Human Services' Centers for Medicare and Medicaid Services (CMS) may have responsibility and be a resource.

The CDPH has responsibility for ensuring nursing home compliance with state laws and regulations. The task is monumental. There are almost 127,000 nursing home beds in the State of California.

Complaints about quality of care generate inspections. In addition, random, theoretically unexpected annual inspections occur across the State of California. When problems are identified, they are typically referred to as "deficiencies." Identified problems may result in a plan of correction with or without fines or penalties. The state licensing division collects relatively few of the fines that are originally imposed. This is a serious and perennial problem.

Information about this and many related topics is available from the California State website that explains nursing home licensing and certification. Information is also available from California Advocates for Nursing Home Reform (CANHR) a nonprofit advocacy organization based in San Francisco, California. Website and contact information is presented in the Appendix.

## C. Professional Care Management and Oversight

It is too often the case that family members and close friends are unavailable to regularly visit nursing home residents. Because oversight – see "cookies and thorns," above – is so important, it is often appropriate to hire professional caregivers or companions to visit and to provide supplemental care. Individuals can be hired privately or directly by family members. The preferred, albeit more expensive alternative, is to employ a home care agency or professional geriatric care manager to develop and implement a plan to ensure that adequate levels of personal care are achieved.

This underscores the value of having financial resources available to pay for such services. It is perhaps the most important of the many reasons why most parents want to preserve assets. Whether or not a child has received a gift from her parent, hiring personal aides or companions for nursing home residents can add significantly to quality of life and reduce the likelihood of neglect.

## D. The Last Resort: Litigation

No skilled nursing facility administrator wants to be sued. Indeed, we view litigation as a last result. In some cases, legal representation short of litigation is necessary to resolve individual complaints. Few attorneys have appropriate experience to efficiently and effectively resolve serious complaints in a cost efficient manner.

While nursing home horror stories receive impassioned media attention, they are thankfully rare. More typical and persuasive are problems such as the following:

- Bedsores resulting from inadequate care;
- Physical and verbal abuse by staff members;
- Falls and other injuries that are preventable; and
- Inadequate medical attention.

When such problems arise, litigation may be the only effective solution.

## E. Relationships Matter

Quality of care on behalf of a loved one in a skilled nursing facility is best achieved by establishing personal relationships with staff members and nursing home administrators, in particular. Family members and perhaps hired, supplemental caregivers must be vigilant, must visit often, and ensure attentive oversight.

Michael Gilfix
Mark R. Gerson Gilfix

# Chapter Thirteen: The Critical Role of Estate Planning Documents

Everyone needs a competent estate plan. Such a plan will typically include a revocable trust, a will, a Durable Power of Attorney, and an Advance Health Care Directive. "Standard," simple form estate planning documents may not be appropriate for an 80 year old who is experiencing health or cognition challenges.

If an individual suffers the loss of capacity – is no longer able to make his own decisions and act on his own behalf – asset preservation planning, in particular, can be difficult. It may be facilitated by appropriate estate planning documents. If such documents are not in place, it may be necessary to go to the California court system to obtain appropriate orders allowing asset transfers and other such planning steps.

A typical living trust, for example, does not give a successor trustee the authority to make transfers to protect assets while achieving Medi-Cal eligibility in a skilled nursing facility. A typical form Durable Power of Attorney is similarly unlikely to authorize such transfers.

When an individual has concerns about this area of planning, different approaches are typically needed.

For example, a Durable Power of Attorney might include a specific provision allowing a surrogate – the "attorney in fact" – to transfer the residence to an irrevocable trust and to transfer other assets to children or other identified individuals to protect those assets while allowing for a successful Medi-Cal application. Unless a Durable Power of Attorney is explicit in giving such authority, it typically cannot be relied upon as authority for such significant planning approaches.

For individuals with relatively modest estates or who want to protect the residence and other assets if skilled nursing care becomes a necessity, planning "seeds" must be planted. If and when circumstances justify such planning steps, documents will be in place to allow such steps. A failure to incorporate such provisions into estate planning documents will be of limited use when needs arise.

At the same time, one must be careful and circumspect. The inclusion of such language in a Durable Power of Attorney, as in the example given above, is a step that should only be taken if the individual thoroughly understands its purpose and implications.

# Chapter Fourteen: One Stop Shopping: The Ideal LTC Planning Approach

*"Wouldn't it be great!"*

This may be the most important chapter you will read. It identifies the optional consideration of resources, services, and products that may be needed to craft the ideal LTC plan for you. DRA

Wouldn't it be great if you could go to one location and get all the answers you need about long-term care?

You would get reliable information about different levels of care and how to ensure quality of care.

You would get objective guidance about alternative methods of paying for the cost of long-term care – self-insuring, purchasing long-term care insurance, planning for government benefits, or a balanced combination of all three.

This has always been difficult because so many different professions are involved. It is frustrating to families because it adds to cost and can be inordinately time-consuming. We nevertheless believe that it is possible.

What services or resources would be needed?

## A. An Objective, Professional Review of Your Situation

Everyone is different. Every situation is unique. A plan can be crafted that is appropriate to your situation. It must not have a presumptive "one size fits all" response or solution that ignores other possible solutions.

## B. Assessment of Personal Finances to Identify the Optimal Blend of Long-Term Care Insurance, Investment Strategies, and Government Benefits Eligibility

For some, particularly those devoted to remaining at home, long-term care insurance may be ideal. Blending long-term care insurance with life insurance may be ideal. Annuities may be ideal because they can avoid the uncertainties of the stock market and may be an investment that can allow for immediate eligibility for Medicaid/Medi-Cal.

Many will not qualify for long-term care insurance or life insurance. Their focus may more appropriately be on asset protection planning, while ensuring availability for government benefits to pay the cost of nursing home care, in particular.

Self-insuring – paying out of your pocket for the cost of care – may or may not be realistic. The projected cost of long-term care must be examined while looking at fixed income and available assets.

140

## C. Coordination of Home and Personal Care

Organizing, coordinating, and paying for home care is a daunting task. There is a need for a professional who understands public and private resources and how to coordinate them for maximum advantage. This would include maximizing church, synagogue, senior center, and other community resources.

If an individual is in assisted living, a residential care facility, or a life care community, the same set of issues present themselves. Someone must be watching and coordinating to avoid duplication and to be sure that quality of care is maximized.

## D. Identify Appropriate Technology to Maximize Quality of Care and Security

Many new companies and technologies address the need for safety and security of home. This includes oversight to avoid physical, psychological, and financial elder abuse.

## E. Patient Advocacy

It can be challenging to obtain quality care in a skilled nursing facility or a hospital. Family members and agents named in Advance Health Care Directives must be educated about how to assert a patient's rights.

## F. Financial Management – Trustee Services

As many as 20% – one in five – have no trusted individual named as a "successor trustee" in a revocable living trust. They have no one who will reliably manage their assets for their benefit if they become unable to do so.

Many such individuals name banks or other financial institutions. Many name a neighbor, a friend, or distant relative because they feel that they have no alternative. Alternatives exist. Professional trustee services that are sensitive to the need for quality long-term care services can be developed.

## G. What Can We Provide? How Close Are We?

This is a brief overview of the full spectrum of services that should be brought together to provide an ideal long-term care solution. When looking at yours or your parents' long-term care, you must consider each of these options. Ideally, these services will be offered together under one roof.

We can already review and assess any long-term care situation and identify the best planning options. We can implement any plan, ensure that reliable information about long-term care insurance is delivered, and achieve asset protection and Medi-Cal eligibility when appropriate.

We can provide patient advocacy information and support. We work with a team of professionals

142

Michael Gilfix
Mark R. Gerson Gilfix

who have both expertise and experience in the coordination of home care services.  We can satisfy the need for management services.

# Chapter Fifteen: In Conclusion, Be Proactive

If you have read this book, you understand the role that long-term care insurance can play. You understand the cost of care, which you may be able to afford. You also understand that perfectly legal strategies exist to protect all or a significant portion of your assets when facing the cost of long-term care, and most particularly skilled nursing care.

For most individuals, it is a question of <u>when</u> they qualify for Medi-Cal. Did they qualify after exhausting all of their assets? Or did they qualify sooner, while protecting their assets?

You must learn about asset protection options that apply in your particular circumstances. In most situations, a carefully considered combination of available strategies is ideal. There is no singular approach that makes sense for everyone. It is simply too complicated, too replete with tax, practical, and quality of care considerations. An attorney with appropriate knowledge and experience knows how to weigh and integrate specific family needs and countless other factors that make a particular family unique.

Above all, take charge of your planning. Decide what is best for you and take the planning steps that give you a comfort zone. Take the planning steps that are consistent with your values and your goals.

Michael Gilfix
Mark R. Gerson Gilfix


We conclude this book with a point made at its very outset: A comprehensive plan can be developed that will allow you wisely to utilize your assets or, if necessary, to protect your assets while qualifying for Medi-Cal or otherwise paying the cost of long-term care.

Do not put your head in the sand.

For more information contact the office of Gilfix & La Poll Associates, LLP or go to our website, www.Gilfix.com.

# Appendix: Directory of Organizations that Can Provide Assistance

**Aging 2.0**
www.aging2.com

**Alzheimer's Association**
National Office
225 N. Michigan Ave., Floor 17
Chicago, IL 60601
24/7 Helpline: 1-800-272-3900
www.alz.org

**Alzheimer's Association Northern California and Northern Nevada**
2290 North First Street, Suite 101
San Jose, CA 95131
24/7 Helpline: 1-800-272-3900
www.alz.org/norcal/

**California Advocates for Nursing Home Reform (CANHR)**
650 Harrison Street, 2$^{nd}$ Floor
San Francisco, CA 94107
Phone: 415-974-5171
Toll-free: 800-474-1116
www.canhr.org

Michael Gilfix
Mark R. Gerson Gilfix

**California Department of Public Health (CDPH)**
**Licensing and Certification Program (L&C)**
PO Box 997377, MS 3000
Sacramento, CA 95889
Phone: 916-558-1784
www.cdph.ca.gov

**California Department of Aging Long-Term Care**
**Ombudsman Program**
Phone: 1-800-510-2020
24/7 CRISISline: 1-800-231-4024
www.aging.ca.gov

**Caring.com**
2600 South El Camino Real, Suite 300
San Mateo, CA 94403
Phone: 1-800-973-1540
www.caring.com

**Catholic Charities**
2050 Ballenger Ave., Suite 400
Alexandria, VA 22314
Phone: 703-549-1390
www.catholiccharitiesusa.org

**Gilfix & La Poll Associates, LLP**
2300 Geng Road, Suite 200
Palo Alto, CA 94303
Phone: 650-493-8070
www.Gilfix.com

**Healthsense**
1191 Northland Drive, Suite 100
Mendota Heights, MN 55120
Toll-free: 1-800-576-1779
www.healthsense.com

**Institute on Aging**
3575 Geary Boulevard
San Francisco, CA 94118
Phone: 415-750-4111
www.ioaging.com

**Jewish Child and Family Services**
913 Emerson Street
Palo Alto, CA 94301
Phone: 650-688-3030
www.jfcs.org

**Jibo**
www.myjibo.com

**Lively**
PO Box 29003
San Francisco, CA 94129
Toll-free: 1-888-757-0711
www.mylively.com

**Meals on Wheels**
413 N. Lee Street
Alexandria, VA 22314
Toll-free: 1-888-998-6325
www.mowaa.org

Michael Gilfix
Mark R. Gerson Gilfix

**MIT Media Lab**
77 Mass Ave., E14/E15
Cambridge, MA 02139
Phone: 617-253-5960
www.mit.edu

**National Association of Area Agencies on Aging**
1730 Rhode Island Ave., NW, Suite 1200
Washington, DC 20036
Phone: 202-872-0888
www.n4a.org

**National Association of Professional Geriatric Care Managers (NAPGCM)**
3275 West Ina Road, Suite 130
Tucson, AZ 85741-2198
Phone: 520-881-8008
www.caremanager.org

**National Center for Home Equity Conversion**
Phone: 1-800-976-6211
www.reverse.org

**Program of All-Inclusive Care for the Elderly (PACE)**
801 North Fairfax Street, Suite 309
Alexandria, VA 22314
Phone: 703-535-1565
www.npaonline.org

**Senior Adults Legal Assistance (SALA)**
160 E Virginia Street, Suite 260
San Jose, CA 95112
Phone: 408-295-59913
www.sala.org

**United States Department of Health and Human Services' Centers for Medicare and Medicaid Services (CMS)**
www.Cms.hhs.gov

Michael Gilfix
Mark R. Gerson Gilfix

Mornings embrace me
as dew enhanced by the sun
warmth fleeting though real.

SYLVIE LOUIS

# Le journal d'Alice

L'affaire Gigi Foster

DOMINIQUE ET COMPAGNIE

lejournaldalice.com

 Suis Alice sur
facebook.com/
lejournaldaliceofficiel

# Samedi 14 mai (suite et fin)

J'ai mis un point final à mon cahier couleur corail il y a moins d'une heure. Et là, il est 16 h et j'ai d'autres choses à te raconter, cher journal. Du coup, j'ai choisi un nouveau cahier. Que penses-tu de sa couleur ?

Tout ça pour dire que je viens de consulter mon iPod : non, le mariage de Lola Falbala et Kevin Esposito n'a pas lieu aujourd'hui. Affaire à suivre…

À mesure que les examens du ministère approchent, madame Robinson nous donne de plus en plus de boulot à la maison. Comme j'avais du temps, cet après-midi, j'ai décidé de commencer un travail de français que je dois remettre jeudi. Je suis descendue au bureau. Zut, Caroline était occupée à pitonner sur le clavier. Je lui ai demandé ce qu'elle faisait. Elle m'a répondu qu'elle s'apprêtait à imprimer le poème chanté que madame Popovic leur avait demandé d'apprendre.

– Bon, et après, lui ai-je dit, j'ai besoin de l'ordi.

– Tu attendras ton tour, Alice, car je suis loin d'avoir terminé.

– Comment ça ?!

– Je veux préparer ma prochaine chronique pour *L'Écho des Érables.*

– Cool ! Et qui sera à l'honneur au mois de juin ?

– C'est une surprise.

– Alleeez, Caro, s'il te plaît, je suis trop curieuse de savoir quel prof tu as choisi.

– Je ne l'ai dit à personne.

– Même pas à Jessica ?

– À elle, oui ; c'est ma meilleure amie, tout de même !

– Et moi, je suis ta sœur ! ai-je riposté, un peu (beaucoup) vexée.

– Je te l'ai dit, Alice, que c'était une surprise. Et maintenant, merci de me laisser travailler en paix.

En attendant que ma cachottière de sœur daigne libérer l'ordinateur, je suis allée promener Cannelle. Madame Baldini plantait des fleurs bleues et mauves devant chez elle. Je l'ai saluée et on s'est mises à bavarder. Elle m'a encore parlé de son séjour en Italie. Lorsque ma chienne, qui avait été patiente jusque-là, s'est mise à tirer sur sa laisse, j'ai dit au revoir à ma gentille voisine.

– Demain, m'a-t-elle signalé, je compte faire une fournée de biscotti aux amandes. J'en mettrai quelques-uns de côté pour Caroline et toi. Vous n'aurez qu'à venir les chercher lundi en revenant de l'école.

– On n'y manquera pas ! Merci d'avance.

Tilt ! J'ai ajouté :

– Un jour, madame Baldini, j'aimerais que vous me donniez votre recette de biscotti.

– Avec plaisir, Alice. Oh, veux-tu venir m'aider à les préparer demain ?

– D'accord. À quelle heure ?

– Je t'attendrai vers 10 h. Bonne fin d'après-midi !

3

Je venais de m'asseoir devant l'ordi quand papa a crié:
« À taaable ! »

Ça sentait bon le barbecue ! Lorsque j'ai raconté que madame Baldini m'avait invitée à cuisiner des biscotti avec elle, Caroline a réagi au quart de tour.

– Moi aussi, j'aimerais apprendre à en faire ! Mais demain matin, c'est impossible.

– Pourquoi ?

– J'ai une compétition à Laval. On pourrait aller une autre fois ensemble chez madame Baldini, Alice, et…

– Elle m'attend demain à 10 h, Caro. Si tu veux, je peux lui dire que toi aussi, tu aimerais assister à un atelier de préparation de biscotti. Connaissant madame Baldini, elle t'invitera un autre jour. Et puis, t'en fais pas, je t'en rapporterai, des biscotti tout frais. Après ta natation, à mon avis, tu n'en feras qu'une bou…

Ma sœur m'a coupée.

– Pourquoi tu n'assistes pas plutôt à ma compétition demain, Alice ? Tu n'es jamais venue m'encourager…

*Elle a raison. Quelle grande sœur indigne je suis ! Hi hi hi !*

– Je viendrai la prochaine fois, Caroline ! Promis.

– Tu dis ça, a bougonné ma sœur, mais je suis sûre que tu trouveras toujours quelque chose de plus intéressant à faire…


Coupant court aux récriminations de sa fille n° 2, papa m'a demandé:

– Sais-tu quelles régions les Baldini ont visitées, en Italie ?

4

– Oui, ils sont allés à Venise et aussi à Rome. Madame Baldini m'a raconté que pour la 1$^{re}$ fois de sa vie, elle est montée dans la tour de Pise. Elle a promis de me montrer une photo trop comique qu'elle a prise de Roberto. On dirait qu'il retient la tour comme pour l'empêcher de tomber !

– La tour de Pise, c'est la vieille tour penchée ? s'est informée Caroline.

– Oui.

– Je pensais qu'elle se trouvait au Japon.

– Eh non, elle est à Rome ! ai-je répliqué.

Maman m'a corrigée.

– Tu n'y es pas, Alice. La tour de Pise se trouve bien en Italie, mais dans la ville de Pise. Je l'ai visitée avec ma classe quand j'étais en 4$^e$ secondaire.

– Ah bon ?! Tu en avais, des beaux voyages scolaires !

– Et elle est très haute, cette tour ? s'est informée Caro.

– Pas vraiment. En tout cas, beaucoup plus petite que la tour Eissel.

*Sacrée Astrid Vermeulen ! La voilà maintenant qui rebaptise la tour Eiffel !*

On s'est tous esclaffés, à commencer par elle !

Quand on s'est calmés, poupou nous a posé une colle.

– Qui sait où se trouve la plus haute tour inclinée du monde ?

*???*

– À Dubaï ? me suis-je hasardée.

Montréal! a lancé maman en se levant pour aller cher-
er le dessert. C'est la tour du Stade olympique!

Elle est peut-être gaffeuse, notre moumou, mais elle en
sait des choses!

# Dimanche 15 mai

À 10 h, j'ai sonné chez les Baldini. Roberto m'a ouvert.
Après m'avoir saluée et invitée à aller rejoindre sa femme
dans la cuisine, il est parti au marché Jean-Talon. Rosa,
elle, avait préparé les ingrédients dont nous allions avoir
besoin sur le comptoir. Tandis qu'elle mélangeait le beurre
et le sucre et que j'ajoutais les œufs, un par un, à la préparation, je lui ai demandé où elle vivait quand elle avait
mon âge.

– À Florence. À l'âge de 23 ans, j'ai passé mes vacances
à Rome chez ma cousine. Deux jours après mon arrivée,
celle-ci a déniché un travail. J'ai continué à visiter la ville
toute seule. Un après-midi, je savourais un *gelato* à la
pêche sur le bord de la fontaine de Trevi lorsqu'un jeune
homme m'a demandé s'il pouvait s'asseoir à mes côtés. Il
n'était pas très grand, mais avait une large carrure et je le
trouvais beau. J'ai accepté.

– C'était Roberto?

– Eh oui!

À la demande de madame Baldini, j'ai incorporé les ingrédients secs et les amandes dans le mélange. Elle a fariné le plan de travail en poursuivant son histoire.

– Roberto avait une Vespa.

– Qu'est-ce que c'est?

– Un scooter. Le soir, il m'emmenait faire un tour du côté du Colisée. Je m'accrochais à sa taille et j'aimais ça, même si j'avais un peu le vertige. Mais c'était autant l'amour que la vitesse qui me faisait tourner la tête! Ah, *la vità era bella!*

Les yeux de ma voisine pétillaient à l'évocation de ce qui semblait être un merveilleux souvenir. Après avoir glissé les rouleaux de pâte dans le four, elle a signalé qu'ils devaient cuire 45 minutes.

– En attendant, Alice, allons boire une limonade au salon.

Je te résume la suite de l'histoire, cher journal. Après les vacances, Rosa a dû retourner à Florence, mais elle et son amoureux se sont écrit. Six mois plus tard, Roberto l'a demandée en mariage. Après leur voyage de noces à Venise, elle est allée vivre à Rome avec lui. Leur appartement donnait sur une grande cour ombragée. Les hirondelles criaillaient le matin. Les ménagères pendaient leur linge sur la terrasse tout en bavardant avec leurs voisines. Rosa a adoré ces années-là. Leur fils est né. Puis Roberto a perdu son emploi. Lui qui avait toujours rêvé de vivre en Amérique est parvenu à convaincre sa femme d'immigrer. Finalement, c'est à Montréal qu'ils se sont installés. Et dix ans plus tard, ils ont acheté une maison rue Isidore-Bottine.

Je lui ai dit :

- Roberto et vous, c'est une belle histoire d'amour !

Un sourire s'est épanoui sur son visage.

- Tu as raison, Alice ! Les années ont passé, Roberto a 79 ans et moi 77, mais nous nous aimons toujours autant.

Après un moment de rêverie, elle a déclaré :

- Toi aussi, un jour, tu auras un amoureux.

J'ai hésité un instant, puis je lui ai parlé de Karim. Madame Baldini n'a pas ri ni changé de sujet de conversation. Pour elle, l'amour est une affaire importante, qu'on ait 11 ans et demi, comme moi, 23 ans ou 77 ans.

- Je suis heureuse pour toi que Karim et sa famille reviennent cet été, a-t-elle déclaré en se levant, car la sonnerie de la minuterie venait de signaler la fin du temps de cuisson.

Ça sentait délicieusement bon dans la cuisine.

- Un jour, j'irai en Italie ! ai-je affirmé à madame Baldini tandis qu'elle sortait du four la plaque avec les quatre rouleaux de pâte dorée.

- Je te le souhaite, Alice. C'est un si beau pays.

Elle a débité la pâte cuite en une série de biscotti. Miam, j'avais trop hâte d'en goûter un. En attendant qu'ils refroidissent, elle est allée chercher son iPad et m'a montré des photos de Venise, Florence, Pise et Rome. *Wow !*

Un quart d'heure plus tard, je suis repartie à la maison en croquant un biscotti. De la main gauche, je tenais le grand sac en papier qui en contenait une vingtaine d'autres et, dans la poche de mon jeans, j'avais glissé la recette des meilleurs biscotti du monde.

Lorsque Caroline est rentrée, en début d'après-midi, je l'ai questionnée :
– Et alors, comment s'est passée ta compétition ?
– Bof. Pour la brasse, je suis arrivée 4ᵉ, pour le dos, 3ᵉ et pour le crawl, 1ʳᵉ.
– Première ! Mais c'est super, ça !!! Bravo, mon petit bébé doudou d'amour !
Et je l'ai serrée contre mon cœur.
– Arrêêête ! a crié ma sœur en me repoussant. Où sont les biscotti ?
– Ici !
Elle s'est installée à la table de la cuisine avec trois biscotti, une banane et un verre de lait. Se radoucissant, elle m'a demandé :
– Dis, Alice, tu veux m'aider à apprendre la chanson que je dois savoir pour jeudi ?
– OK.

Les paroles sont bizz bizz, pleines de mots inventés.
Toi la mordore
Toi la minoradore
Entourée d'aurifeuflammes
Toi qui mimes le mimosa
Toi qui oses le sang de la rose...

Au début, pour le refrain, on s'emmêlait les pinceaux. Mais au 6ᵉ ou 7ᵉ essai (avec Caro, il faut toujours continuer jusqu'à ce que ce soit parfait…), nous étions bien coordonnées et nous avons chanté:

Desporosa

Desperados

Desesporaminos

Desespera

Desesperador…

Comme Caro n'avait pas pu participer sur scène, vendredi soir, à la soirée africaine, je crois qu'elle était heureuse de chanter en duo avec moi.

## Lundi 16 mai

Ce matin, parmi les horreurs que la radio a l'habitude de déverser dans notre cuisine à l'heure du déjeuner (triple meurtre à Brossard, fusillade à Miami, attentat à Istanbul, embarcation transportant 228 migrants fuyant la guerre en Syrie qui a coulé en mer Méditerranée, tsunami en Indonésie…), une des infos a particulièrement frappé l'esprit de maman. Celle annonçant qu'un cycliste montréalais venait de se faire écraser par un camion. Du coup, tandis que Caro et moi on s'apprêtait à enfourcher nos vélos pour partir à l'école, elle nous a rappelé ce terrible fait divers et nous a fait promettre de redoubler de vigilance.

C'est avec un sourire fendu jusqu'aux oreilles que madame Robinson nous a accueillis en classe, ce matin. Nous rassemblant autour de la grande carte de l'Afrique punaisée sur le mur de la classe, elle a inauguré son projet *Le tour de l'Afrique en 24 jours*. Pourquoi 24 jours, cher journal? Parce que notre voyage imaginaire sur le continent africain se terminera le vendredi 10 juin, dernier jour de classe avant notre départ pour la Gaspésie. Notre périple a débuté au Sénégal. La prof nous a demandé d'imaginer qu'on atterrissait à Dakar, la capitale, et elle nous a fait «visiter» cette ville en nous montrant plusieurs photos à l'aide de son iPad. Ensuite, elle nous a présenté quelques caractéristiques du Sénégal. Africa était ravie qu'on parle de son pays d'origine en classe. Madame Robinson a rendu cette activité si vivante que, lorsqu'elle nous a demandé de regagner nos places pour la dictée, je me suis levée à regret. J'ai hâte à demain, car chaque jour, nous nous retrouverons devant la carte pour une nouvelle étape de ce tour de l'Afrique.

Au programme de cette semaine…

Mardi: à la découverte de la Côte d'Ivoire. Mercredi: à la découverte du Nigéria. Jeudi: à la découverte du Tchad. Et ainsi de suite… Avec un pays par jour, nous n'aurons pas assez de 24 jours pour les «visiter» tous. Mais ça nous donnera quand même une bonne idée de l'Afrique actuelle, de ses villes, de ses paysages, de ses coutumes, de la vie quotidienne, mais aussi des guerres qui ravagent certaines contrées. Ça, on ne peut malheureusement pas y échapper.

J'ai reçu un 5 sur 10 en maths. ☹ Mes notes en maths ne sont pas fameuses, ces derniers temps, c'est le moins qu'on puisse dire. Alors, pour mettre toutes les chances de mon côté (car l'examen du ministère en maths approche à grands pas), madame Robinson a demandé au *boss* des maths (Bohu) de me donner un coup de main.

Pendant la leçon de grammaire, il s'est mis à pleuvoir. Bientôt, des trombes d'eau frappaient les vitres. Lorsque la cloche a sonné la fin de la journée, Marie-Ève s'est exclamée :
– Quel temps de chien ! Aujourd'hui, je ne vais pas à l'étude, Alice. Ma mère vient me chercher pour m'amener chez le dentiste. Veux-tu qu'on aille d'abord vous reconduire chez vous, Caroline et toi ?
– Ce serait vraiment gentil !

Grâce à Marie-Ève et Stéphanie, moins de dix minutes plus tard, nous étions à la maison, ma sœur et moi. Mouillées, mais pas détrempées comme on l'aurait été si on avait dû revenir à pied. Après la collation, on a décidé d'étudier ensemble sur le divan du salon. En silence, car nos leçons, forcément, ne sont pas les mêmes. Par la fenêtre, j'ai aperçu un passant marcher le dos courbé sous son parapluie. Mais… n'était-ce pas monsieur Baldini ? Que faisait-il dehors par ce mauvais temps ? Je me suis replongée dans ma grammaire lorsqu'on a sonné à la porte. Cannelle s'est mise à aboyer. Bondissant sur ses pieds, Caro a fait taire notre chienne et est allée ouvrir.

– Bonjour, monsieur Baldini!

Je me suis levée pour aller le saluer moi aussi. Lui d'habitude si jovial n'avait vraiment pas l'air dans son assiette.

– J'ai pensé qu'il fallait vous prévenir le plus vite possible. Rosa a eu un accident…

Un accident!!! Une image a surgi: madame Baldini s'était fait écraser par un camion sur le boulevard Henri-Bourassa! Oh non!!!

– Un accident vasculaire cérébral, a précisé monsieur Baldini.

– C'est quoi? a demandé Caroline.

– Un vaisseau sanguin s'est bloqué dans son cerveau. Ma femme est tombée dans la cuisine, hier soir. J'ai appelé le 911, mais quand les secours sont arrivés, elle n'avait toujours pas repris connaissance. Elle est morte dans l'ambulance…

QUOI!?!!!! Complètement sous le choc comme si une bombe, explosant dans l'entrée, m'avait éjectée hors de ma vie quotidienne, j'ai répété: «Oh non, c'est pas possible, c'est pas possible…» Caroline, les bras ballants, était figée sur place.

– Je suis désolé…, s'est excusé monsieur Baldini, comme s'il était coupable d'avoir créé ce trou noir dans notre maison.

On aurait dit qu'il avait rétréci. Le bronzage qu'il avait ramené d'Italie le mois dernier avait fait place à un teint gris. Le pauvre faisait tellement pitié ! C'est alors que, nous tendant un sac, il a expliqué :

– Quand elle est tombée, Rosa venait de préparer un tiramisu. J'ai pensé que ça vous ferait plaisir de le manger en famille, car moi...

Il n'a pas achevé sa phrase, mais a fait un geste de la tête et de la main comme pour dire qu'il était incapable d'y goûter.

– Je vous laisse parce que je dois aller chercher mon fils et sa famille à l'aéroport.

Et, reprenant son parapluie, il a ouvert la porte et est sorti dans la tempête.

Moi, j'ai explosé en sanglots. Aveuglée par les larmes, j'ai entendu ma sœur se plaindre.

– C'est pas juste, Alice ! Elle t'a appris à faire des biscotti, mais pas à moi !

Comme si madame Baldini aurait dû se forcer pour ne succomber que quelques semaines plus tard, le temps de transmettre sa recette à ma sœur également !!! J'étais révoltée par l'égoïsme de Caroline. Mais surtout, je me sentais anéantie. La voisine qu'on a toujours connue et qui était si gentille que je la considérais un peu comme notre troisième grand-mère est morte. Hier matin, j'ai passé une heure et demie avec elle et je t'assure, cher journal, qu'elle était en pleine forme. Et maintenant, elle est morte ?! Pour toujours ? C'est absurde.

Une clé a tourné dans la serrure et Zoé est rentrée, suivie par maman. Avant de lui laisser placer un mot, Caroline s'est écriée :

– T'as pas vu monsieur Baldini ?

– Non, a fait maman en refermant la porte. Pourquoi ?

– Il est venu nous annoncer que sa femme est décédée !

– Madame Baldini ?! s'est exclamée maman, frappée à son tour par l'horrible nouvelle.

Elle a fondu en larmes et papa, quand il est rentré, était incrédule lui aussi et sincèrement peiné. Moumou ayant décrété qu'elle n'était pas en état de préparer un repas, poupou a sorti des restes qu'il a fait réchauffer. Je n'ai presque pas touché à mon assiette, j'ai demandé à me lever de table et je suis allée pleurer dans mon lit en serrant ma Cannelle contre moi.

Ce soir, Caro est venue m'embrasser avant de se coucher.

– Alice, j'ai réfléchi. Si tu m'apprends un de ces jours à faire des biscotti, ce sera un peu comme si madame Baldini me l'avait enseigné à moi aussi.

Notre voisine a rendu l'âme et ma sœur, tout ce qui la préoccupe, c'est la recette de ses biscotti ! Non mais, c'est tellement choquant !!!

À l'évocation des croquants biscuits aux amandes, j'ai soudain ressenti une irrépressible envie d'en manger. Descendant à la cuisine, j'en ai pris un dans le sachet (il en reste quatre). Comme j'étais seule, j'ai embrassé le biscotti avant de commencer à le grignoter tout doucement. Il avait un petit goût salé, car mes larmes ruisselaient dessus. Et ma gorge était tellement serrée que j'avais de la difficulté à avaler. Mais c'était délicieux quand même. Puis, je me suis servi un bol du crémeux tiramisu que j'ai savouré, une cuillerée à la fois. Les derniers biscotti du 54, rue Isidore-Bottine, le dernier tiramisu…

Comme une voleuse qui ne tient pas à être prise sur le fait, j'ai vite emballé deux autres biscotti dans du papier aluminium. Tout en les rangeant au fond de ma table de chevet, je me suis dit que j'en mangerais un demain et le dernier après-demain.

Je venais de refermer mon journal intime lorsque maman est venue me border. S'asseyant sur mon lit, elle m'a dit, tout doucement pour ne pas troubler le sommeil de ma sœur :

– Tu sais, Alice, quand quelqu'un de jeune meurt, c'est terriblement choquant et contre nature, mais…

– Madame Baldini était encore jeune, l'ai-je interrompue de façon un peu agressive.

Cannelle, qui somnolait au pied de mon lit, a relevé la tête d'un air inquiet. Tout en la caressant pour la rassurer, ma mère m'a répondu :

– Lorsque c'est une personne plus âgée qui meurt, c'est infiniment triste, parce qu'on ne la verra plus et qu'elle nous manquera. Mais ça fait partie du cycle de la vie.

– En tout cas, je n'ai pas hâte que tu aies 77 ans ! lui ai-je déclaré en me remettant à sangloter pour la 10e fois de la soirée.

Maman m'a doucement bercée contre elle jusqu'à ce que je me calme.

Je suis allée rincer mon visage à la salle de bain (méconnaissable, rouge et bouffi, mais je m'en fous) et je me suis glissée sous la couette, puis Miss Positive n'a pu s'empêcher de me chuchoter à l'oreille :
– Dis-toi au moins que madame Baldini a vécu une belle vie bien remplie. Et qu'elle a eu le grand bonheur de retourner en Italie.
Me prenant au jeu, j'ai ajouté :
– Tu as raison. Et rappelle-toi la visite-surprise que lui a faite son fils de Toronto le jour de la fête des Mères. Ça lui avait fait un immense plaisir.

– Quand on y pense bien, Alice, Rosa Baldini a eu beaucoup de chance. Car elle est morte en bonne santé.
Ma mère se moquait-elle de moi ou quoi ?! Outrée, j'ai protesté :
– Tu trouves ?! Au contraire, c'est stupide de mourir quand on va bien !
– Ce que je voulais dire, c'est que notre voisine n'a pas dû être transportée aux urgences, piquée et branchée de partout... Elle n'a pas dû passer des semaines à l'hôpital. Elle a évité une pénible rééducation. Sa vie est restée belle jusqu'au bout. Tu sais, quand on est vieux, c'est un luxe de mourir chez soi, sans chichis, de s'éteindre tout simplement.
Encore une fois, je me suis rebellée.

17

– Le luxe, ce serait de ne jamais mourir !

– Tu as raison, ma fille chérie, a soupiré ma mère.

Après m'avoir embrassée, elle m'a glissé un doux :

– Essaie de dormir, maintenant.

22 h 18. Je viens d'avoir une révélation, cher journal : madame Baldini est une fée. Allumant ma lampe de chevet, j'ai rouvert mon cahier. Même si elle est désormais invisible, elle veille sur nous. Du coup, je peux continuer à lui parler quand j'en ai envie. Si je cherchais un peu, ce ne serait pas 10, mais au moins 100 points positifs que je trouverais dans le fait d'avoir connu madame Baldini !

♥ Merci, madame Baldini, pour vos 1 001 attentions.

♥ Merci de nous avoir toujours accueillies avec un grand sourire quand on venait vous demander quelque chose, Caroline et moi. Et quand on avait des choses à vendre pour l'école.

♥ Merci de ne jamais avoir oublié notre anniversaire !

♥ Merci de nous avoir fait sentir comme des trésors, même si on ne faisait pas partie de votre famille.

♥ Merci pour vos biscotti aux amandes, les meilleurs au monde ! (Heureusement que vous m'avez transmis votre recette. À partir de maintenant, c'est moi qui prends la relève de la production de biscotti sur la rue Isidore-Bottine, ça, je vous le promets !)

♥ Merci d'avoir pris soin de Grand-Cœur lorsqu'on partait en vacances.

♥ Merci de lui avoir acheté ses croquettes préférées et de lui en avoir offert chaque fois qu'il venait vous « rendre visite ».

♥ Merci d'avoir volé à mon secours le matin où Grand-Cœur était à l'agonie.

♥ Merci pour vos attentions après sa mort (vos petits mots qui venaient du cœur, la belle photo encadrée). Ça m'avait aidée à surmonter ma peine, à l'époque.

Même si vous êtes morte, je vous aime toujours, chère madame Baldini.

22 h 39. Je me sens mieux, cher journal. Je vais dormir.

## Mardi 17 mai

En partant à l'école, ce matin, j'ai jeté un œil sur la maison des Baldini. À cet instant, leur porte s'est ouverte… mais ce n'était que Roberto qui sortait les poubelles. Je lui ai lancé la main avant de me remettre à pédaler pour rattraper Caro qui était déjà au coin de la rue, mais je ne crois pas qu'il m'ait vue.

Dès que Marie-Ève qui attendait sous l'érable m'a demandé comment j'allais, je me suis remise à pleurer. Africa est arrivée, Jade ensuite et je leur ai raconté ma peine. L'amitié, cher journal, il y a peu de choses aussi merveilleuses dans la vie: c'est précieux dans les moments joyeux et insouciants de notre existence, mais également essentiel quand il nous arrive quelque chose de grave. Je m'estime privilégiée d'avoir les meilleures amies du monde. Jade m'a rappelé que mercredi, Balzac serait là. Délicate comme elle l'est toujours, elle n'a rien ajouté d'autre, mais moi j'ai compris et je lui ai simplement répondu :

— Tu as raison. Merci, Jade.


Marie-Ève a raconté qu'hier, sa belle-mère Nina avait rendez-vous chez le médecin. Elle est à 12 semaines de grossesse. Elle et son père ont entendu le cœur de leur bébé ! En pleine forme, paraît-il.

— Tu crois que ce sera une fille ou un garçon ? lui a demandé Africa.

— Si tu m'avais posé la question hier, je t'aurais répondu : « Une fille. » Et si c'est le cas, j'aimerais qu'on l'appelle Kenza. Mais aujourd'hui, j'ai plutôt le sentiment que j'aurai un petit frère. L'échographie est prévue pour la fin juin.

*Une vieille dame (pas si vieille que ça) meurt à Montréal et, pendant ce temps, à Gatineau, un bébé se développe bien au chaud dans le ventre de sa maman... Le cycle de la vie...*


Cet après-midi, madame Fattal s'est fâchée contre Catherine Frontenac qui riait. Après, elle s'en est prise à moi car, hier, perturbée comme je l'étais par le décès de madame Baldini, j'avais oublié de faire mon devoir d'anglais.

— Je te mets zéro, ma fille ! a-t-elle conclu sèchement.

20

Zéro… ma fille…

Cruella a fait lire le texte de la page 121 par Audrey et Eduardo. Puis, elle nous a dit :

– Si vous avez des questions, posez-les-moi. Et ensuite, je vous interrogerai.

– Pour des points ? s'est informée Kelly-Ann.

– Oui.

En essayant de me concentrer pendant que d'autres questionnaient madame Fattal, j'ai relu fébrilement l'histoire de ce garçon qui s'était perdu dans la forêt. Je n'ai pas compris la fin du texte. J'avais deux choix : soit je me la fermais, soit je demandais à la prof d'éclairer ma lanterne. Mais si je ne disais rien et que, par malchance, Cruella m'interrogeait, je risquais de récolter un autre zéro. *No, no, no !* Du coup, le cœur battant, j'ai levé mon doigt.

– Oui, a-t-elle fait.

– Maman, je ne comprends pas les deux dernières phrases.

Toute la classe s'est retournée vers moi. Patrick, Stanley, CF et Gigi Foster ont pouffé de rire, tandis que Crucru, elle, me fixait avec des yeux exorbités. Horreur absolue ! À force de se faire appeler « ma fille », voilà ce qui devait arriver.

– Euh, je voulais dire : « Madame », ai-je rectifié d'une voix mourante.

– S'il y a bien quelque chose que je ne supporte pas, ce sont les élèves insolents ! a répliqué Crucru d'une voix cinglante. Ceux qui, comme toi, se croient tout permis et veulent faire rire la classe aux dépens de leur enseignant !

21

Pour te faire passer l'envie de me manquer de respect, tu me recopieras 50 fois l'article 1 du code de vie pour mardi prochain.

Cinquante fois l'article 1 de ce scrogneugneu de code de vie ! C'est pas vrai !

Quant à la pauvre CF qui tentait tant bien que mal de réprimer un nouveau fou rire, elle a hérité d'une punition humiliante !

– Tu as envie de rire à gorge déployée, Catherine ? lui a demandé madame Fattal d'une voix glaciale. Eh bien, continue à rire pendant deux minutes.

– Comment ça ?! a fait CF soudain dégrisée.

– Vas-y ! lui a-t-elle ordonné en regardant sa montre.

– Mais…

– Tu vas rire ou je t'emmène chez le directeur !

– Vous pouvez me conduire chez monsieur Rivet, madame, ça m'est égal. Mais vous ne pouvez pas m'imposer de rire.

Emma s'en est mêlée. Défendant sa voisine de gauche, elle a lancé à la prof :

– C'est de l'abus de pouvoir !

D'une voix vibrante d'indignation, la prof a annoncé en brandissant son doigt en l'air, comme une prophétie apocalyptique :

– Alice Aubry, Catherine Frontenac et Emma Shapiro, vos parents auront de mes nouvelles !

Tu t'imagines, cher journal, dans quelles conditions on est censés apprendre l'anglais…

Lorsqu'on est rentrées de l'école, ma sœur et moi, on a eu la surprise de trouver maman à la maison. Elle avait pris congé cet après-midi pour faire des courses. Et son cours de yoga de ce soir était annulé, le prof étant malade. Alors, je lui ai raconté ce qui était arrivé au cours d'*engliche*. Maman s'est emportée.

- Cette fois, elle exagère, madame Fattal! Te faire recopier 50 fois un article du code de vie de l'école pour une simple distraction, c'est totalement injustifié! C'est elle qui va avoir de mes nouvelles!

Comme elle saisissait son téléphone, je lui ai dit:

- Laisse tomber, moumou! Je n'en ai plus pour longtemps à devoir la supporter…

- Non, je ne laisserai pas tomber, Alice. Tu ne mérites pas d'être punie.

Autrefois, cher journal, j'aurais été stressée à mort qu'elle se plaigne à Cruella, mais aujourd'hui, alors qu'il ne reste que quatre cours, c'était pas si grave. Au contraire, ma mère était de mon côté. Et, après les durs moments que j'avais traversés depuis hier, ça me faisait du bien. D'autant plus que ça allait peut-être m'éviter une inteeeeeerminable séance de recopiage.

- Bonjour, monsieur Rivet, c'est madame Vermeulen, la maman d'Alice. Madame Fattal est-elle encore là, s'il vous plaît? J'aimerais lui parler.

- .........................................................................
.........................................................................
.........................................................................

– Le directeur m'a mise en attente, a commenté maman à mon attention. Madame Fattal est en train de faire des photocopies et il va aller lui demander de prendre la communication. Fattal, quand on y pense, quel nom! Tu t'imagines, Alice, si je m'appelais Astrid Fattal. Hi! hi! hi!

Reprenant subitement son sérieux, maman a dit:

– Bonjour madame, ici Astrid Fattal, euh, excusez-moi, madame Fattal, je veux dire Astrid Vermeulen, la mère d'Alice.

– ....................................................................................

....................................................................................

....................................................................................

– Telle mère, telle fille, vous dites? Pour la distraction, c'est vrai, mais pas pour la raillerie. Bien sûr que non, je ne me moquais pas de votre nom de famille. Pas plus qu'Alice ne cherche à vous ridiculiser en classe, comme vous le prétendez. Je vous répète que nous sommes toutes les deux distraites. Désolée, mais...

– ....................................................................................

....................................................................................

– D'accord, madame Fattal, je n'étais pas présente tout à l'heure à votre cours. Mais je regrette, Alice n'est pas la fille effrontée que vous me décrivez! Je vous avoue qu'en vous téléphonant, je ne m'attendais pas à une attaque virulente de votre part. Ce que je tenais à vous dire, c'est que je ne suis pas d'accord avec la punition que vous avez donnée à...

– ....................................................................................

....................................................................................

24

– Mais non, madame Fattal, Alice ne me mène pas par le bout du nez!!! Qu'allez-vous imaginer là? Ce n'est pas elle qui demande que vous supprimiez sa punition, c'est moi. Les examens du ministère commencent la semaine prochaine et ma fille a autre chose à faire que de revoir le code de vie de l'école qu'elle a toujours respecté…

– Ça alors, a constaté maman, interloquée, elle a raccroché!
Furieuse, elle a ajouté:
– Non, mais quel mufle, cette femme! Selon elle, tu es une élève détestable! Mieux vaut entendre ça que d'être sourde. Laisse tomber cette punition, Alice. Et si jamais madame Fattal ose te causer le moindre ennui injustifié d'ici la fin de l'année, fais-le-moi savoir et j'irai trouver monsieur Rivet!

En rentrant, papa est arrivé avec un grand pot contenant un rosier. Je pensais qu'il le destinait à son Astrid, mais non, il l'avait acheté pour Caro et moi en souvenir de madame Baldini. Sa gentille attention m'a réchauffé le cœur.

Après le souper, ma sœur et moi avons planté l'arbrisseau qui arborait cinq délicates fleurs roses.
En se redressant, Caroline s'est mise à fredonner *Toi la mordore.* Moi, je n'avais pas le cœur à chanter. Et puis, Petrus et sa famille risquaient de nous entendre de l'autre côté de la haie. Mais quand ma sœur a entamé le refrain, ma gêne s'est dissipée comme par miracle et ma voix s'est jointe à la sienne.

Lorsque, en rentrant à la maison, elle a récidivé pendant qu'on se lavait les mains, je l'ai encore accompagnée.

– Tu sais, Alice, madame Baldini serait heureuse si elle pouvait nous entendre.

– Tu as raison, Caro.

– Parce que chanter à tue-tête, c'est un peu comme faire un pied de nez à la mort.

Ma p'tite sœur de 9 ans est parfois tellement philosophe, cher journal !

## Mercredi 18 mai

*En ce moment, ma vie ressemble à des montagnes russes...*

↘ Ce matin, j'ai été réveillée au son de *Toi la mordore*. J'ai encore eu droit à cette ambiance sonore pendant que je mangeais mes céréales puis, quelques minutes plus tard, tandis que nous pédalions, ma sœur et moi, vers l'école. Pfff, tout à coup, j'ai ressenti comme une *overdose*.

↗ Suivant les conseils de Jade, j'ai demandé à madame Robinson de pouvoir bénéficier d'un moment d'exclusivité avec son chien. Elle a accepté qu'on reste tous les trois en classe, elle, lui et moi au début de la récré. Mais le bon Balzac est devenu accro aux caresses. Quand il a envie de se faire cajoler, c'est-à-dire très souvent, il pose son museau sur les genoux de quelqu'un. Et c'était moi qu'il avait choisie ce matin, pendant la dictée. Avait-il senti que j'avais besoin de lui ? Je lui ai offert un quartier de ma pomme et, après ma séance officielle avec Balzac le psy, un autre quartier. M'épancher avec le bon labrador m'a fait du bien. Puis, une fois dans la cour, j'ai mangé le restant de ma pomme et savouré le dernier biscotti authentique de madame Baldini.

↘ De retour en classe, Bohumil a demandé à Jonathan :

– Et puis, Joey, es-tu content d'aller à la Journée d'adaptation de l'école des Gars, demain ?

– Oui, a-t-il répondu, mais sans sa fougue habituelle.

– Quoi ? T'es pas enthousiaste à l'idée d'entrer bientôt au secondaire ?

– Mouais, sauf que… je vais peut-être redoubler.

– Redoubler ! s'est exclamée madame Robinson. Qui t'a fourré une idée pareille dans la tête, Jonathan ?!

– Je ne crois pas que je réussirai, madame… Si je redouble, je pourrai rester dans votre classe ?

– Je suis honorée que tu aies envie de passer une autre année en ma compagnie, mon cher, mais il n'est pas question que tu redoubles ! L'école des Gars t'attend. Tu as bien travaillé ce printemps. Cependant, depuis le début de la semaine, on dirait que tu baisses les bras. Que se passe-t-il, Jonathan ? Il faut réussir les examens du ministère !

Joey a gardé la tête basse. Puis il s'est agenouillé à côté de Balzac et s'est mis à le caresser.

Madame Robinson a doucement demandé à Joey :

– C'est pour moi ou pour mon chien que tu voudrais rester à l'école des Érables?

Jonathan a baissé les yeux.

– Pour votre chien…, a-t-il avoué. Mais un peu aussi pour vous, madame. Et puis, j'ai peur de ne pas être à la hauteur.

Se mettant à pleurer, il a enfoui son visage dans le pelage du labrador. Celui-ci lui a donné un grand coup de langue sur la joue. Joey riait et pleurait en même temps. La prof lui a dit:

– Ne t'en fais pas, Jonathan. Nous reparlerons de tout ça ce midi, en allant promener Balzac. Rien que toi et moi, pour une fois.

Mon cœur à moi était serré. Chaque fois que je pense à notre classe qui va bientôt se disperser aux quatre coins de Montréal, je sens mon cœur se pincer.

↗ En rentrant à la maison, maman nous a annoncé qu'elle était invitée, vendredi, à aller parler de *Tofu tout fou!* à l'émission *Du plaisir dans l'assiette*. Caroline et moi, on a poussé des cris de joie. Et Zoé nous a imitées. Caro a conseillé à la future célébrité de se rendre chez la coiffeuse pour l'occasion.

– Je peux très bien arranger mes cheveux moi-même, a répondu moumou.

Ma sœur a insisté.

– Tu vas passer à la télé, maman. Imagine, des millions de gens vont te voir! Tes cheveux doivent être dignes de la circonstance.

Des millions de gens… Faut quand même pas exagérer.
Bref, Miss Tofu a pris rendez-vous chez Cindy. Par chance,
celle-ci avait encore une place à 11 h 30.

↘ Ce soir, monsieur Baldini est venu nous annoncer que les
funérailles auront lieu samedi matin à l'église du quartier.
Mes parents et mes sœurs s'y rendront sans moi, car je
serai au camp d'équitation avec Marie-Ève. Quel dommage de rater la cérémonie d'adieu à cette chère Rosa. Ensuite, le vieux monsieur nous a appris qu'il allait mettre sa
maison en vente.

Accusant le coup, maman a fait :
– Ah oui ?!
– Mon fils et ma belle-fille m'ont invité à venir vivre chez
eux à Toronto.
– Je comprends, monsieur Baldini. Mais vous nous man-
querez beaucoup. Avec vous et votre femme, c'était un
peu comme si nous avions de la famille dans la rue.

– J'ai pensé… Si vous désirez garder un souvenir de Rosa,
dites-le-moi.
– C'est sûr que nous conserverons de très beaux souvenirs
de madame Baldini, a répondu maman.
– Je veux parler d'un souvenir matériel, a précisé Roberto.
Caro, elle, avait compris.
– J'aimerais avoir le nain avec son arrosoir. Je le mettrai
dans notre jardin et chaque fois que je le verrai, je penserai
à madame Baldini quand elle arrosait ses fleurs.
Le visage fripé du veuf s'est éclairé.

– D'accord, Caroline ! Rosa les aimait bien, les petits nains qui peuplent la plate-bande.

*Ça me fait encore bizarre d'entendre parler de madame Baldini à l'imparfait.*

– Et toi, Alice ? m'a demandé monsieur Baldini.

Moi, je n'avais besoin d'aucun objet pour me rappeler ma voisine du nº 54. Mais j'ai pensé que ça ferait plaisir à son mari si j'adoptais un autre des nains orphelins (celui avec un oiseau bleu perché sur son épaule). Et un pour Zoé, tant qu'on y était.

Maman a pris la parole.
– Est-ce que je pourrais hériter du parapluie de votre femme, monsieur Baldini ? Les jours de pluie, lorsque j'apercevais Rosa sous son parapluie jaune, ça ensoleillait ma journée.

Roberto avait l'air vraiment ému. J'ai eu peur qu'il ne se mette à pleurer et que du coup, moi, j'explose en sanglots. Mais non, après avoir souri à ma mère, il lui a dit d'une voix qui tremblait légèrement :
– Quelle belle idée, Astrid ! Comme ça, le parapluie de Rosa restera lui aussi rue Isidore-Bottine. ☺

Quand elle était vivante, cher journal, je ne pensais pas chaque jour à madame Baldini. Mais maintenant qu'elle est partie, elle occupe quasiment toutes mes pensées. C'est comme si je l'entendais rire de bon cœur, comme si je l'entendais s'exclamer : « Mamma mia ! » Ou encore : « La vie est belle ! » C'est vrai, sauf que la mort, elle, est laide, laide, laide !

Une fois de plus, ce soir, lorsque je suis allée promener Cannelle, je m'attendais à voir la silhouette familière de Rosa apparaître sur le seuil de sa maison, un arrosoir à la main. Je réalise qu'elle était plus qu'une bonne voisine, pour nous, c'était une amie. Il y a tant de choses dont j'aurais encore voulu discuter avec elle. Dire que je ne pourrai même pas lui raconter ma rentrée au secondaire, dans trois mois ! Ni le retour de Karim. C'est vraiment frustrant. Et j'aurais aimé lui poser d'autres questions sur l'Italie. Certaines choses nous semblent normales, cher journal. Mais c'est lorsqu'elles disparaissent qu'on se rend compte combien en fait elles étaient merveilleuses.

↘ Pas de trêve pour *Toi la mordore…* En se couchant, Caroline l'a entamée pour la xième fois de la journée. Pfff… Lorsque je lui ai dit que cette chanson commençait sérieusement à me taper sur les nerfs, elle m'a corrigée :
– Ce n'est pas une chanson, mais un poème chanté.
– Peu importe, Caro. Ton poème chanté, je l'aimais, au début. Mais comme ça fait au moins 125 fois que tu le reprends, je ne le supporte plus. Trop, c'est trop !
– D'abord, ce n'est pas *mon* poème chanté, mais celui de Roland Giguère et de Chloé Sainte-Marie. Et puis, c'est demain que madame Popovic nous interroge. Tu ne vas quand même pas me reprocher de faire mon travail scolaire !

31

En fait, ma sœur la connaît parfaitement, sa fichue *Mordore*, mais, tu le sais, cher journal, c'est une perfectionniste. Elle veut toujours faire mieux. Et là, elle boude…

Bon, elle dort maintenant. Mais *La mordore* et son refrain entêtant continuent à me trotter dans la tête. Tilt! Un jour, Emma nous a raconté que pour se débarrasser d'une chanson qui jouait en boucle dans notre cerveau, il suffisait de mâcher de la gomme. Je suis sceptique, mais bon, je ne perds rien à essayer.

↗ Cher journal, le truc totalement improbable d'Emma Shapiro fonctionne! Sur ce, je file à la douche. Et ensuite, il me restera un devoir et deux leçons…

## Jeudi 19 mai

Marie-Ève et moi, on est arrivées en même temps à l'école. Elle était excitée, car c'est demain que nous partons au camp équestre. Moi aussi, même si, secrètement, il me reste un peu d'appréhension. Mon amie ne va-t-elle pas regretter de m'avoir invitée, moi qui ai peur de monter à cheval? Et si, horreur absolue, je tombais?!

J'ai essayé de me raisonner en me disant qu'un camp d'équitation, ça doit être conçu pour que tous les campeurs aient du plaisir.

Ma sœur étant invitée chez Jessica jusqu'à samedi, c'est seule que je suis rentrée chez moi. Quel bonheur d'être en congé pour quatre jours! Petit détour par le dépanneur, pour acheter le *MégaStar* + un paquet de chips BBQ + une tablette de *Toblerone* + un paquet de bonbons aux fraises. Le chocolat et les bonbons, je les partagerai avec Marie-Ève au camp.

*À la une du magazine, une superbe photo de Lola Falbala et de Kevin Esposito avec le titre : Mariage du siècle : le compte à rebours a commencé ! Trop hâte de lire le reportage.*

En sortant du dépanneur, j'ai vu la cabine téléphonique à laquelle, d'habitude, je ne prête aucune attention. TILT! Je me suis arrêtée devant. J'ai regardé autour de moi. Personne. Le cœur battant, j'ai décroché le combiné et j'ai dit:
– Allô, madame Baldini? C'est Alice. Merci pour tout! Je ne vous oublierai jamais.

En raccrochant, je me suis senti le cœur heureux. Sur une des branches du tilleul au coin de la rue, un merle me fixait. Il a lancé un joyeux trille avant de s'envoler dans le bleu du ciel. Moi, j'ai ouvert mon paquet de chips et j'en ai croqué une. La vie est belle!

En arrivant à la maison, j'ai lu le reportage sur le mariage avant d'étudier. Et ce soir, je le relis à l'aise sur le divan. Rien que le voile de la mariée a coûté un million de dollars! C'est fou, ça! Pour le banquet, il y aura plus de

3 000 invités. Le gâteau nuptial sera recouvert d'éclats de feuilles d'or. Hein ! Le voyage de noces de Kevin et Lola se déroulera sous les tropiques (une destination tenue secrète, bien évidemment). La mariée apportera dans ses valises un bikini orné de diamants avec le paréo assorti. En sortant du jet privé qui les conduira directement sur le site de leur lune de miel, les tourtereaux poseront le pied sur un tapis de pétales de roses qui les mèneront jusqu'au lit en cœur de leur suite somptueuse.

Penchée par-dessus mon épaule, maman a commencé à lire, elle aussi. Croyant qu'elle s'intéressait aux détails de ce mariage extraordinaire, j'ai poursuivi ma lecture.
– Tout ce tralala n'a rien à voir avec l'amour, a-t-elle fini par déclarer.
– Mais… c'est le mariage du siècle ! ai-je protesté.
– Tu crois que pour s'aimer, Alice, on a besoin de dépenser des millions de dollars ? Les gens qui se prêtent à cette mascarade, je ne leur prédis pas une bien longue union.
– Quoi, toi, au lieu de te réjouir, tu penses au divorce ?! C'est tellement choquant, antiromantique ! On a le droit de rêver, quand même…
– Bien sûr, mon Alice. L'amour fait rêver, mais pas cet étalage éhonté de richesses ni cette vulgaire mise en scène hollywoodienne !

Maman est résolument contre le mariage, cher journal, mais là, je trouve qu'elle exagère. Elle est parfois tellement terre à terre. Bref, oublions Astrid la rabat-joie, la casseuse de party, l'oiseau de mauvais augure. La célébration sera transmise en direct. Mais quand ? D'ici la fin du mois, il reste 12 jours. C'est décidé : chaque matin en me levant, je consulterai mon iPod. Pourvu que le mariage n'ait pas lieu ce week-end durant notre camp d'équitation, car il nous faudrait, à Marie-Ève et moi, attendre notre retour à la maison, lundi, pour regarder sa retransmission sur Internet. L'idéal serait le samedi 28 mai, ce qui me donnerait l'occasion d'assister à la cérémonie en direct à la télé. Sans oublier que c'est sur cette date-là que ma meilleure amie a parié. Je lui souhaite de remporter un des lots du concours !

## Vendredi 20 mai

Maman était attendue à la station de télé à 13 h 30 pour le maquillage, l'émission débutant à 14 h. Mais avant ça, elle avait rendez-vous chez la coiffeuse. Je l'ai accompagnée. En enfilant le tablier que Cindy lui présentait, ma mère a demandé des nouvelles de sa grossesse.
– J'attends un petit garçon ! a annoncé notre gentille coiffeuse, rayonnante. J'ai très envie de l'appeler Jérémy.

Tiens, tiens, Cindy doit regarder *Samantha et ses colocs*, car Jérémy est le nom du nouvel amoureux de Sam.
– Et qu'en dit le futur papa ? s'est informée maman.
– Comme toujours, j'aurai le dernier mot ! a affirmé Francis. « Oui, chérie. »

Tout le salon s'est esclaffé.

Maman est passée au lavabo. M'installant sur le divan, je me suis plongée dans un ancien numéro du magazine *MégaStar*.

Soudain, Cindy s'est exclamée :
– Oh non, qu'est-ce qui se passe ?!
Ce qui se passait était qu'il n'y avait plus une goutte d'eau. Francis a appelé la Ville de Montréal : les employés municipaux avaient dû procéder d'urgence à une coupure d'eau dans tout le quartier et rétabliraient le service avant 17 h.

Cindy s'est confondue en excuses, pour maman dont les cheveux étaient collants de shampooing, mais aussi pour la jeune femme à qui Francis avait appliqué une teinture et qui allait devoir rincer ses cheveux un quart d'heure plus tard… Cindy a épongé les cheveux pleins de mousse de ma mère et les a emprisonnés dans un sac en plastique qu'elle a fait tenir à l'aide d'un élastique… Astrid Vermeulen, d'habitude si pimpante, avait un look pas possible !

Avec ça, il était déjà midi moins dix. Ma mère et moi, on a regagné la fourgonnette au pas de course. Sur la rue Fleury, une sirène a éclaté derrière nous. Jetant un coup d'œil dans le rétroviseur, maman s'est écriée :
– Oh non !
Je me suis retournée. Une voiture de police avec ses gyrophares agressifs était scotchée à notre pare-chocs ! Ma

mère s'est rangée sur le côté. Il ne manquait plus que ça…
se faire arrêter par la police et coller une contravention. Il
n'est quand même pas interdit, que je sache, de conduire
avec, sur la tête, un échafaudage de cheveux pas rincés
recouverts d'un sac ? Dans sa précipitation, moumou
avait-elle dépassé la limite de vitesse ? Doublant notre
fourgonnette, le véhicule de police a poursuivi sa course
folle.

Fiouuu… ce n'était pas après maman, mais contre un
autre conducteur que la police en avait…

Une fois à la maison, ma mère a fourré son couvre-chef
improvisé à la poubelle et a filé sous la douche. N'ayant
pas le temps de se sécher les cheveux, elle s'est précipitée
hors de la maison. Heureusement, comme il faisait chaud,
sa chevelure blonde serait sèche bien avant d'atteindre le
studio d'enregistrement. Mais j'ai croisé les doigts afin
qu'elle arrive à temps pour l'émission. Ce serait trop bête
de rater une telle occasion de faire connaître son livre.

À 13 h 30, Zoé faisait sa sieste. Papa, Caro et moi, nous
étions devant la télé. Quel soulagement de constater que
non seulement notre Astrid nationale se trouvait sur le
plateau, mais aussi qu'elle n'était pas luisante de sueur
d'avoir couru comme une folle, ni échevelée.
Au contraire, ses cheveux étaient superbes.
On avait dû s'en occuper là-bas. L'animateur
de l'émission a demandé à la diététiste et auteure si sa famille raffolait du tofu.

– Pas vraiment, a-t-elle répondu. Mais ils en mangent con-
tinuellement sans le savoir. Lorsque je prépare un sauté au
poulet, par exemple, je fais mariner des morceaux de tofu
avec le poulet. Après l'avoir finement émietté, je fais frire
le tofu avec les autres ingrédients. Volatilisé ! Il donne une
belle consistance à la sauce et mes troupes en redeman-
dent. J'en mets partout, du tofu : dans les soupes, la sauce
à spaghetti…

– Bref, vous êtes la reine du camouflage ! s'est émerveillé
l'animateur.

– Exactement.  *Quelle traîtresse !*

La dernière question à laquelle ma mère a répondu :

– Votre maison d'édition fait-elle de la publicité pour *Tofu
tout fou !*, Astrid Vermeulen ?

– Non. Moi, ce n'est pas sur le marketing que je compte pour
faire connaître mon livre, mais sur le bouche-à-bouche.

Devant l'air interloqué de l'animateur, maman a réalisé
sa bévue.

– Je veux dire… sur le bouche-à-oreille, s'est-elle reprise.

Le lapsus de son Astrid a fait rire papa aux larmes. Mais
moi, j'étais super gênée que cette belle entrevue se soit terminée sur cette fausse note.  *La honte !*

14 h 20. Marie-Ève vient de m'appeler.

– Bonjour, Alice ! Super, l'émission ! On n'aurait
jamais dit que c'était la première fois qu'Astrid
passait à la télé. Ma mère et moi, on l'a trouvée
excellente !

Zut, elles avaient entendu la bourde de moumou… Mais alors que moi, je ne retenais que ça de l'émission, Marie ne m'en a pas parlé. À part ça, elle piaffait d'impatience.

– Tes affaires pour le camp sont prêtes ?

– Presque. Je viens de boucler mon sac. Il me reste à aller chercher le sac de couchage au sous-sol. Dis, Marie, c'est dommage qu'on nous interdise d'apporter notre iPod au camp. J'aurais aimé prendre des photos des chevaux. Et quelques *selfies* de nous deux en souvenir.

– T'en fais pas pour les photos, Alice, on en aura. Comme à chacun de mes séjours là-bas, j'ai prévu une caméra jetable. Changement de sujet : tu comptes emporter ton journal intime ? a poursuivi Marie.

– Au départ, je voulais le laisser ici. Mais aujourd'hui, je me suis dit que ce ne serait pas la même chose d'écrire sur des feuilles de brouillon et de les coller lundi soir dans mon cahier… Et puis, j'ai l'impression que je serais moins inspirée. J'ai trouvé un endroit où mon journal sera en sécurité au centre équestre. Sous le fond amovible de mon sac de voyage.

– Bien pensé ! Comme ça, tu ne risques pas de le perdre. Et du coup, le mois prochain en Gaspésie, ton journal sera à l'abri des regards indiscrets. Genre Gigi ou Patrick…

Gloups. Rassure-toi, cher journal. Pour les raisons évoquées par Marie-Ève, je ne suis pas (du tout) encore sûre de t'apporter en classe verte. Mais en attendant, tu seras du voyage au camp d'équitation. Je m'apprête à te glisser dans ta cachette. D'ici une heure, Stéphanie viendra

39

déposer Marie-Ève chez nous. Nous souperons tôt, toutes les deux, et c'est mon père qui nous conduira au camp d'équitation où nous sommes attendues vers 19 h.

Une fois à destination, nous sommes allées nous inscrire dans une grande salle. À partir de demain, nous aurons équitation en même temps, mais, bien sûr, dans deux manèges différents : si moi je suis débutante, mon amie se retrouve dans le cours d'obstacles avancé. Papa est parti. Marie-Ève a joyeusement salué des campeuses, mais aussi des monitrices et moniteurs. Dans tout ce brouhaha, elle avait l'air aussi à l'aise qu'un poisson dans l'eau (ou qu'un cheval dans son pré, nouvelle expression plus adaptée à la situation ☺). Quant à moi, je me sentais un peu perdue, car à part elle, je ne connais personne ici.

Nous avons apporté nos affaires dans le dortoir où quatre filles étaient déjà en train de s'installer. Le lit superposé restant était pour nous. Nous avons placé nos draps-housses sur nos couchettes (elle en bas, moi en haut) et déroulé notre sac de couchage, puis Marie m'a conduite dans le bâtiment où sont logés les chevaux. Quelle grande et belle écurie !
– Bonjour ! a-t-elle fait à quelques chevaux qui, curieux, regardaient par-dessus la porte de leur box.
S'arrêtant devant l'un d'eux, elle a dit :
– Alice, je te présente Vega !
Elle a ouvert la porte et s'est adressée à la jument noire, sa préférée.

– Bonjour, ma belle. Tu vas bien ? Tu me reconnais ?

Et elle l'a cajolée affectueusement.

– Toi aussi, Alice, tu peux la caresser, si tu veux.

Tandis que j'avançais prudemment ma main, la jument a retroussé ses babines, dévoilant de grandes dents jaunâtres. Suspendant mon geste, j'ai avoué à ma meilleure amie que j'avais peur de me faire mordre…

– Ça n'arrivera pas, Alice. Caresse-la depuis la liste sur tout le chanfrein.

*Liste ??? Chanfrein ?????*

Réalisant que je ne connaissais pas ce vocabulaire avec lequel elle est si familière, mon amie m'a montré comment flatter la jument de l'étoile blanche qu'elle a sur le front jusqu'à ses naseaux.

– Bien, Alice ; tu vois comme Vega aime ça !

Moi, ce que j'ai aimé, c'est que ma BFF ne se moque pas de mon inexpérience. Et qu'elle me signale que j'étais loin d'être la seule débutante, ici. À l'accueil, elle a repéré à leur air pas très sûr d'eux des tas de nouveaux qui profitent du court séjour de printemps pour se préparer à leur premier vrai camp d'été.

Ensuite, j'ai suivi Marie dans l'écurie des poneys. Elle voulait me montrer Pâquerette. On a eu beau faire le tour deux fois, pas de traces de la ponette. C'est alors qu'on a croisé une monitrice.

– Arizonaaa !!!

– Marie-Ève !!! Quelle belle surprise !

Marie m'a présentée à sa monitrice de l'an dernier. Puis, changeant de sujet, elle a questionné la jeune femme au sujet de Pâquerette.

– Elle est partie.

– Comment ça ?! a fait mon amie.

– Tu sais, Marie, la vaillante Pâquerette avait 25 ans, l'âge de la retraite. Quand elle me manque, je me console en me disant qu'elle aura une vieillesse paisible auprès de la famille qui l'a adoptée. Et puis, nous avons un nouveau poney. Le jeune Boléro est curieux, coquin et affectueux. Allons le voir ! Je suis sûre que vous allez l'aimer.

Elle avait raison, Arizona, on a toutes les deux craqué pour ce poney à la crinière blonde.

De retour dans le dortoir. Après avoir enfilé mon pyjama, j'ai sorti les friandises achetées hier au dépanneur.

– Trop cool ! a fait Marie-Ève. Moi aussi, comme je savais qu'on souperait très tôt aujourd'hui, j'ai apporté de quoi tenir le coup jusqu'à demain : des croissants aux amandes et des sucettes.

Tandis que je lui tendais la moitié du *Toblerone*, Marie m'a remerciée d'avoir pensé à son chocolat préféré.

– Mais toi, tu ne t'es pas pris une tablette de chocolat à la menthe ? s'est-elle étonnée.

– Le chocolat à la menthe, faut plus m'en parler !!! Depuis mon indigestion, rien que l'idée d'en manger me dégoûte.

Après avoir brossé mes dents, j'ai sorti mon cahier pour te raconter notre arrivée au camp, cher journal. Marie-Ève a fait de même avec un cahier qui n'avait pas l'air neuf et sur la couverture duquel était collée une photo de Vega. Je me suis étonnée.

– Tu ne m'avais jamais dit que toi aussi, tu tenais un journal intime !

– Comme tu peux te l'imaginer, Alice, si c'était le cas, tu le saurais. Ceci est mon carnet d'équitation. Je le réserve uniquement à mes séjours ici.

Chacune sur sa couchette, on s'est mises à écrire à la lueur de notre lampe de poche, car les autres campeuses voulaient dormir. Là, il est 21 h 47 et on va se coucher, nous aussi.

## Samedi 21 mai

Au camp, de 13 h à 13 h 45, c'est l'heure de la sieste. Marie-Ève et moi, on en profite pour raconter la matinée à nos journaux respectifs. Donc, nous avons été réveillées à 7 h par la monitrice. Elle nous a signalé que si on désirait aller nourrir les chevaux, il était temps de s'habiller.

Dans l'écurie, Marie-Ève s'est placée devant le box de Vega et moi devant le box voisin, celui d'Orlando, un cheval brun avec une superbe crinière. Un moniteur poussait un gros chariot. Lorsqu'il s'est arrêté à notre hauteur, il a donné à chacune de nous un seau contenant la bonne quantité de moulée (qui diffère pour chaque cheval). J'ai observé Marie remplir la mangeoire de Vega. Puis, prenant

*L'heure de la sieste... voilà qui plairait à mon petit poupou !*

43

mon courage à deux mains, je suis entrée dans le box d'Orlando afin de lui verser sa moulée.

– Tu fais vraiment bien ça! m'a dit mon amie.

Grâce à elle, je gagne en confiance.

Après le déjeuner, Marie, élégante dans ses bottes d'équitation et son legging noir, m'a accompagnée à la salle où on prête une bombe et des bottes aux cavaliers qui n'en possèdent pas. Une fois munie de mon équipement, je l'ai suivie dehors jusqu'aux manèges. Dans le groupe *Les alezans*, nous étions trois + Yop, la monitrice. Celle-ci nous a aidés à monter sur notre cheval. Le mien était gris et s'appellait Mistral.

Une fois en selle, je me suis dit : « Oooh, que c'est haut ! » Yop nous a montré la position du bon cavalier (talons baissés, orteils levés, dos et épaules droits et regard en avant). Elle nous a aussi expliqué comment tenir les rênes correctement. Ensuite, nous avons appris à avancer, à nous arrêter et à tourner.

À la fin de l'heure, lorsque je me suis retrouvée sur le plancher des vaches (je devrais plutôt dire le plancher des chevaux), j'ai poussé un soupir de soulagement. J'ai caressé Mistral et lui ai dit merci. C'est un bon cheval.

J'ai rejoint Marie-Ève et c'est ensemble que nous nous sommes dirigées vers l'écurie.

– Comment va la nouvelle cavalière ? m'a-t-elle demandé. Les fois où je t'ai regardée, tu semblais assurer parfaitement.

– Merci, Marie. Même si j'étais stressée, au début, tout s'est bien passé. J'ai même hâte de recommencer, figure-toi! Mais moi, j'étais tellement concentrée que je n'ai pas fait attention à toi. Pendant qu'on faisait le tour du manège, j'essayais de garder la distance sécuritaire entre Mistral et Éclair qui se trouvait devant lui.

Au cours de techniques équines, j'ai appris à brosser Mistral, à lui mettre la bride, la selle, le licou et la laisse ainsi qu'à le promener.

Ce midi, on a mangé sur la terrasse, à l'ombre des parasols. Ce qui m'a frappée, c'est que les chutes de cheval sont un des sujets de prédilection des campeuses et campeurs. Ils font même des paris à ce sujet. Du style: «Si tu tombes cet après-midi, tu me donnes ton dessert et si c'est moi qui tombe, tu recevras le mien.» Moi, tout ce que j'espère, c'est que je tiendrai sur ma selle!!!

À mon cours d'équitation de cet aprèm, j'aurais voulu retrouver Mistral, mais c'est sur Acajou que Yop m'a aidée à monter. Il était plus calme que Mistral et, avec lui, je suis mieux arrivée à maintenir cette fameuse distance (d'un autobus!) nécessaire entre lui et le cheval devant nous pour éviter que ce dernier ne s'énerve. À la fin du cours, Yop nous a fait faire du trot chacun à notre tour en nous tenant par la bride. Elle nous a annoncé que demain après-midi, nous serons capables de trotter seuls. Wow! Bon, nous partons à l'instant en forêt (pas à cheval, mais à pied!) pour un jeu de piste. Ensuite, douche, souper et rassemblement dehors pour la soirée. À demain, cher journal!

## Dimanche 22 mai

Mon cheval d'aujourd'hui: Éclair, dont la robe blanche est parsemée de grosses taches chocolat. Dans sa crinière blanche, il y a des crins bruns. Et Marie-Ève, elle, a monté Orlando. Tandis que nous tournions dans le manège, j'ai jeté un coup d'œil au manège voisin. Tiens, voilà justement Marie-Ève qui s'apprêtait à sauter un obstacle. Mais au lieu de s'élancer dans les airs, son cheval s'est arrêté net devant la barrière et mon amie a roulé sur le sable! Ma peur qu'elle soit blessée n'a heureusement duré qu'un instant. Car la cavalière émérite s'est relevée (en se frottant le dos) et elle est allée récupérer son cheval. Sa monitrice est venue s'assurer que Marie allait bien. Puis, celle-ci est remontée sur son cheval et elle l'a talonné pour tenter de nouveau de passer l'obstacle… Saisie de crainte, j'ai retenu ma respiration. Mais cette fois, Orlando lui a obéi et ma meilleure amie et lui ont franchi l'obstacle sans problème. Ouf!

Yop nous a signalé qu'on allait commencer le trot. Quand un cheval trotte, cher journal, son cavalier ou sa cavalière bondit sur sa selle comme un pop-corn! Pas évident de garder l'équilibre… Tout à coup, alors que je jetais un coup d'œil vers le manège voisin pour voir où en était rendue Marie-Ève, mon pied a perdu l'étrier et j'ai glissé sur le côté. J'ai eu plus de peur que de mal, puisque je suis tombée debout, sur mes pieds. Et heureusement pour moi, Éclair s'est tout de suite arrêté.

Au cours de techniques équines, on nous a appris à laver notre cheval. J'ai dû mettre Éclair dans la « douche », détacher sa laisse, attacher le licou avec deux chaînes. Et ensuite, le doucher à l'aide du tuyau d'arrosage.

– Et maintenant, m'a expliqué la gentille Yop, tu vas le savonner avec tes mains.

J'ai eu de la chance, car Éclair s'est laissé savonner sans broncher… jusqu'au moment où j'ai reçu une claque mouillée en pleine figure ! Le souffle coupé, je me suis reculée vivement, mais Yop, qui avait assisté à la scène, riait de bon cœur.

– Ne t'en fais pas, Alice. C'est sa queue trempée qui t'a frappée. Si tu continues à faire de l'équitation, ce n'est pas la dernière fois que ça t'arrivera. Tu sais, les chevaux agitent souvent leur queue pour chasser les mouches.

Essuyant mon visage du revers de la main, je lui ai demandé si le cheval m'avait signifié ainsi qu'il en avait assez que je le frotte.

– Oh non, pas Éclair. Au contraire, il apprécie qu'on lui fasse sa toilette. Les chevaux qui ont la robe pâle comme lui ont l'habitude de se faire laver parce qu'ils se salissent davantage que les autres. Bon, maintenant, tu peux le rincer.

Plus tard, lorsque j'ai raconté ma mésaventure à Marie-Ève, elle a ri elle aussi étant donné que ça lui est déjà arrivé plusieurs fois, de recevoir une queue de cheval sur le visage.

Ce soir, autour du feu de camp, Yop, Arizona et d'autres moniteurs nous ont raconté des légendes, puis nous avons chanté. Quelle belle soirée ! Dire que demain, c'est déjà la fin du camp… Même si l'équitation, je commence à y prendre goût, je stresse un peu (beaucoup) pour le concours que nous a organisé Yop afin de nous donner l'occasion de montrer nos prouesses à nos parents. Poupou & moumou ne seront pas là, mais Marie-Ève m'a promis qu'elle et sa mère viendront m'encourager, puisque son concours à elle a lieu après le mien.

Dans notre dortoir, les autres filles ont 13 ans. Deux d'entre elles sont gentilles, une nous ignore complètement et la quatrième nous prend un peu de haut sous prétexte que nous sommes encore au primaire. Mais au moins, Marie-Ève et moi, on est deux, alors on s'en fiche. Bref, que d'émotions durant ce camp !

## Lundi 23 mai

Pendant qu'on me chronométrait, j'ai dû entre autres effectuer un slalom entre des cônes, puis faire une volte. Lorsque je suis descendue du dos d'Acajou, j'étais sûre

que Nicolas remporterait la meilleure place parmi *Les ale-zans*. Mais à mon grand étonnement, Yop a annoncé :
– Celle qui a réalisé le meilleur temps est Alice !

Et sous les applaudissements, elle m'a remis un beau ruban. Trop cool ! Marie-Ève était fière de moi.
– T'es trop bonne, Alice ! Ça me rappelle des souvenirs d'il y a quatre ans, lorsque moi aussi j'étais débutante. Bon, je vais aller me préparer pour mon concours à moi. À plus tard !

Steph et moi sommes allées la voir. J'espérais de tout cœur qu'elle ne tombe pas. Et mon vœu s'est réalisé : Vega a bondi élégamment par-dessus les obstacles, comme si elle avait des ailes, tandis que Marie-Ève faisait corps avec sa jument. Moi, je leur aurais attribué la première place, mais elles ont été classées 3e. Après avoir été faire un dernier câlin aux chevaux et des *bye bye* aux monitrices et moniteurs, c'est avec le cœur pincé que Marie et moi avons quitté le centre équestre.

Une fois dans l'auto, j'ai dit à ma BFF :
– Merci de m'avoir invitée pour ce beau séjour ! J'ai adoré mon expérience.
– Je le savais, Alice !

Il était midi et demi lorsqu'elles m'ont déposée devant chez moi. Tandis que Cannelle me faisait la fête, Caroline m'a bombardée de questions. Après m'avoir embrassée, maman m'a signalé qu'on passait à table.

– Je n'ai pas faim.

– Tu as déjà dîné, Alice ?

– Non, mais sur la route, Marie-Ève et moi, on a mangé du Citrobulles et on a bu des chips. Euh, excuse-moi. Je voulais dire qu'on a bu des chips et mangé du Citrobulles.

– T'es tombée sur la tête, ou quoi ?! m'a demandé Caro en me considérant d'un air inquiet.

*Scrogneugneu de scrogneugneu à roulettes de distraction à la noix de coco !!!!!!!!!!!*

Dernières nouvelles pêle-mêle :

✞ Les funérailles de Rosa Baldini étaient très touchantes, paraît-il. Il y avait foule.

✈ Après son périple en Himalaya, oncle Alex est revenu sans encombre à Montréal.

? La maison d'en face s'est enfin vendue. Je suis curieuse de savoir qui seront nos nouveaux voisins. On a fait un pari : papa pense qu'il s'agira d'une famille nouvellement reconstituée avec quatre ados. Maman, d'une famille française qui déménage à Montréal. Caro, d'une famille avec une fille de son âge. Et moi, d'une famille avec trois garçons.

– Hé hé, tu te cherches un amoureux ? a fait papa à la blague.

– Pas du tout ! ai-je riposté.

Caroline m'a fait un clin d'œil. Elle, elle sait que j'en ai déjà un. Bref, à suivre…

♪ En se couchant, Caro a entonné : «Toi la mordore Toi la minoradore… »

– Ah non, ça ne va pas recommencer! ai-je soupiré, exaspérée.

– Ben quoi, j'ai le droit de chanter! Toi, même si tu fredonnes souvent la musique de Lola Falbala, je ne t'embête jamais.

– C'est vrai. À propos, madame Popovic t'a-t-elle interrogée, jeudi?

– Non, c'est à Amalia et à Gaspard qu'elle a demandé de chanter *Toi la mordore*. Mais au moins, je la connaissais.

Ça, pour la connaître, elle la connaissait. Et moi aussi.

Sur ma table de chevet, j'ai trouvé un signet avec une belle photo de Rosa Vinci-Baldini. Derrière, en découvrant sa date de naissance (le 30 janvier), j'ai regretté de ne pas l'avoir connue avant. J'imagine comme madame Baldini aurait été heureuse si, le jour de son anniversaire, on avait sonné à sa porte, Caro et moi, avec un bouquet de fleurs. Ou tout simplement pour l'embrasser en cette occasion spéciale. C'est quand les gens sont là qu'il faut en prendre soin. Après, c'est trop tard et tous les regrets du monde n'y changeront rien.

Madame Baldini
devant la tour
de Pise.
Elle m'a donné
cette photo
le fameux dimanche
15 mai...

Marie-Ève
et Orlando

# Mardi 24 mai

Une surprise nous attendait dans la cour d'école. Cet automne, les profs avaient remis un billet de participation aux élèves nés ailleurs qu'au Canada ainsi qu'à ceux dont un ou les deux parents sont originaires d'un autre pays. J'avais rempli le coupon en indiquant que ma mère venait de Belgique. Jimmy a salué ma sœur :

– Salut, Caro ! Viens voir au centre de la cour.

Intriguée, je les ai suivis. Sur une plaque métallique était gravé :

École des Érables

Montréal (Québec)

Canada (Amérique du Nord)

D'autres plaques étaient disséminées aux quatre coins de la cour. Flanqués de Jessica et de Nour qui nous avaient rejoints, on est partis à leur recherche. La première plaque indiquait :

> Bogota (Colombie – Amérique du Sud) : ...................4 552 km

– Qu'est-ce que vous faites, Alice ?

C'était ma BFF.

– Oh, salut, Marie-Ève ! On cherche les pays d'origine des élèves de l'école.

– Les pays et leurs capitales, a précisé Caro.

Ensemble, on a découvert :

| | |
|---|---|
| Antananarivo (Madagascar – Afrique) : | 13 904 km |
| Zagreb (Croatie – Europe) : | 6 560 km |
| Port-au-Prince (Haïti – Amérique du Sud) : | 3 005 km |
| Caracas (Venezuela – Amérique du Sud) : | 3 932 km |
| Ouagadougou (Burkina – Afrique) : | 7 640 km |
| Paris (France – Europe) : | 5 506 km |
| Bamako (Mali – Afrique) : | 7 118 km |
| Hanoï (Vietnam – Asie) : | 12 609 km |
| Kiev (Ukraine – Europe) : | 7 099 km |
| Damas (Syrie – Asie) : | 8 757 km |
| Téhéran (Iran – Asie) : | 9 434 km |
| Le Caire (Égypte – Afrique) : | 8 712 km |
| Lisbonne (Portugal – Europe) : | 5 229 km |
| Islamabad (Pakistan – Asie) : | 10 585 km |

*Avec cette installation, c'est un peu comme si nous, à l'école des Érables, on se trouvait au centre du monde ! Et tu auras certainement compris le principe, cher journal, que Lisbonne est située à 5 229 km de Montréal et Islamabad, à 10 585 km.*

– Et Bruxelles, la capitale de la Belgique, ils l'ont mise où ? a demandé ma sœur.

Jimmy qui, décidément, semblait le guide touristique officiel de notre nouvelle cour internationale, lui a répondu :
– Nulle part, Caro. Avec la plaque centrale du Canada, y'a 16 pays en tout, pas un de plus.

Ma sœur a considéré son amoureux d'un air choqué. Comment avait-on pu omettre le pays d'où venait sa maman chérie ?

Monsieur Rivet est venu nous trouver.

– Bonjour, les jeunes! Et alors, que pensez-vous de votre cour?

– C'est bien, a répondu Caro plutôt fraîchement. Mais vous avez oublié la Belgique.

Nour s'est plainte à son tour.

– L'Algérie non plus n'y est pas.

Notre directeur a expliqué que les élèves de l'école proviennent de 43 pays différents. Faire fabriquer 43 plaques aurait coûté beaucoup trop cher. Un tirage au sort a donc désigné les pays qui seraient à l'honneur.

– Quel dommage que mon coupon n'ait pas été pigé…, a encore soupiré ma sœur.

Le mien non plus, du coup. Mais j'étais contente pour Kelly-Ann & Stanley (Haïti), Violette (Portugal) et Eduardo (Venezuela). La 6ᵉ A était aussi représentée par Khadija Mahfouz (Égypte) et Sam Nafisi (Iran). Marie-Ève et moi avons félicité le directeur pour la réalisation de son projet. Ça nous plaît beaucoup.

Lorsque la cloche a sonné la récré, j'ai eu une idée. Et c'est ainsi que je suis descendue dans la cour avec mon cahier de brouillon et un crayon. J'ai noté les pays + leurs capitales respectives + le nombre de kilomètres qui nous séparent d'elles. Ce qui m'a permis, en cette fin d'après-midi, de te raconter tout ça très précisément, cher journal. Et ensuite, de chercher ces pays lointains sur la carte du monde de ma chambre.

## Mercredi 25 mai

Les examens du ministère en français (lecture) ont commencé aujourd'hui (pour trois jours, les épreuves ayant lieu en matinée). Ce matin, ça a super bien été.

Cet après-midi, madame Robinson nous a proposé de disputer un match de mots. Trop cool! Ça faisait une éternité qu'on n'en avait eu. Kelly-Ann lui a demandé:
– Venez dans notre équipe!

Ravie de l'idée, la prof a bien été obligée de décliner l'invitation.
– Ce ne serait pas juste pour l'équipe adverse. Et puis, qui calculerait les points?
– Les 5ᵉ A ont éduc, à cette heure-ci, a dit Eduardo.

Gigi Foster lui a lancé d'un air méprisant:
– Aucun rapport!
– Oui, ça en a un. Comme les 5ᵉ A sont avec madame Duval, on pourrait demander à monsieur Gauthier de s'occuper du chronomètre tandis que madame Robinson jouerait avec notre équipe. Et puis, pour la revanche, c'est lui qui fera partie de l'autre équipe.
– Bonne idée, Eduardo! a approuvé la prof.
– Je peux aller chercher m'sieur Gauthier?! s'est écrié Jonathan.
– D'accord, mais à condition que tu ne coures pas dans l'escalier. Africa, veux-tu accompagner Jonathan, s'il te plaît?

Si jamais monsieur Gauthier n'est pas dans sa classe, vous le trouverez certainement dans la salle des professeurs.

Deux minutes plus tard, Joey et Afri étaient de retour avec l'homme de la situation. Chronomètre en main, celui-ci s'est assis sur la chaise pour arbitrer le match. Madame Robinson faisait partie de l'autre équipe, celle des rouges. Lorsqu'elle nous a dit qu'il fallait trouver des mots contenant les lettres OUR, dans l'ordre, monsieur Gauthier a enclenché le chronomètre.

tour    à rebours    journée    ouragan

rembourser    fourmi

courage    amour    humour    ourlet

four    Pourri    courbe    nourrir    MOURIR

fourniture

sourire    souris    sourd    lourd    ours    course

se gourer    savourer    fourche    tourterelle    touriste

– Ourdir ! a lancé Bohumil.
– Ça veut rien dire !
– Oh que oui ! a fait l'arbitre à l'instant où le chronomètre sonnait. Ourdir un complot.

Ce qui donne 25 points à l'équipe des rouges et 17 à celle des jaunes.

Pour la revanche, monsieur Gauthier a passé le chronomètre à sa collègue avant de venir s'asseoir entre CP et

57

moi. Les trois lettres avec lesquelles il fallait composer le plus de mots possible en trois minutes étaient OLI. Forte de la participation de monsieur Gauthier, c'est sans surprise que notre équipe a remporté le second match : 23 à 13. Hugo a proposé de faire d'autres matches. Mais monsieur Gauthier devait regagner sa classe, car ses élèves allaient arriver d'une minute à l'autre. Dommage. Enfin, on s'est bien amusés !

## Jeudi 26 mai

Ce soir, maman est venue marcher avec Cannelle et moi. En revenant de notre promenade, nous allions traverser lorsque, devant le n° 45 de notre rue, une voiture s'est arrêtée et en sont sorties cinq personnes, plus précisément des enfants et leurs parents. Un homme les attendait. Pressant soudain le pas, ma mère est arrivée à leur hauteur à l'instant où l'agent immobilier ouvrait la porte de la maison.

– Bonsoir, leur a-t-elle dit. Vous êtes nos futurs voisins, j'imagine !
– Bonsoir, madame, a répondu le père. Vous habitez la rue ?
– Oui, juste en face.
Puis, leur tendant la main, à lui et à sa conjointe, elle a ajouté :
– Je me présente : Astrid Vermeulen et voici ma fille Alice.

– Enchantée, Astrid. Oui, nous serons vos voisins à partir du 1er juillet. Moi, je m'appelle Anne-Marie, mon mari Marcel et nos filles Béatrice, Juliette et Ariane.

– Quelle coïncidence! a fait maman. Nous aussi, nous avons trois filles à peu près du même âge, du moins pour les deux premières. Alice a 11 ans, Caroline…

– J'aurai 12 ans au mois d'août, ai-je tenu à préciser.

– Caroline, elle, vient de fêter ses 9 ans, a repris maman. Quant à la petite Zoé, elle a 20 mois.

M'adressant à l'aînée, je lui ai demandé quel âge elle avait.

– Douze ans et demi.

– Toi aussi, tu es en 6e année?

– Non, en secondaire 1. Je suis née en septembre.

Sortant son téléphone, maman a proposé de nous prendre en photo, toutes les deux.

– Maman…, ai-je soupiré, gênée.

– Mais quoi? a fait Astrid Vermeulen. Si vous devenez amies, vous serez peut-être heureuses d'avoir une photo du jour où vous vous êtes rencontrées.

Non mais, de quoi elle se mêle! Elle va penser quoi, cette Béatrice?! Que je recherche une amie à tout prix? La honte totale. Mais la jeune ado a gentiment répondu:

– D'accord pour la photo, madame, et elle s'est installée à côté de moi. *Clic!*

– Je peux caresser le chien? m'a demandé la petite Ariane.

– Bien sûr. C'est une chienne et elle s'appelle Cannelle.

Ne voulant pas faire attendre plus longtemps l'agent immobilier, Anne-Marie a déclaré :

– Nous serons heureux de vous revoir, Astrid, et de faire la connaissance de votre conjoint et de vos deux autres filles.

Ma mère leur a souhaité un bon déménagement et moi, je leur ai dit : « Bye ! »

– À bientôt, Alice, m'a répondu Béatrice.

– Salut, Béatrice, on se verra cet été.


Lorsque, quelques minutes plus tard, on a raconté notre rencontre au restant de la famille, papa a constaté que personne n'avait remporté le pari, finalement.

Puis, me fixant d'un air coquin, il a ajouté :

– Et pour ton futur amoureux, Alice, c'est raté !

– *Papa, arrête !!!*

– Fiche la paix à ma grande sœur ! a lancé Caro en se jetant sur lui.

Papa est « tombé » à terre et nous l'avons chatouillé à mort jusqu'à ce qu'il nous suppliiiiiiiiiiiiiiiie d'arrêter et déclare qu'il ne le ferait pluuuuuuuuuuuuuus, promis juréééééééééééé. Hi hi hi, on a bien rigolé tous les trois.


20 h 03. Je pensais que Caro dormait déjà, mais elle s'est retournée et m'a demandé :

– Elle est comment, Juliette ?

– Normale.

– Et Béatrice ?

– Elle aussi. Elle a l'air gentille. Ce qui m'a frappée, c'est qu'elle me ressemble un peu. Elle a le même physique mince que moi et, même si elle a un an de plus, elle a ma taille. Ses longs cheveux sombres sont lisses et ses yeux marron…

– Hein, Alice, tu as un sosie !

– Non, quand même pas, Caro, car son visage n'est en rien une copie conforme du mien ! Encore heureux…

– Zut, j'aurais dû aller marcher avec vous, tout à l'heure ! J'ai hâte de la voir, cette famille.

20 h 07. Tilt ! Me penchant vers Caro, j'ai chuchoté :

– Tu dors ?

– Oui, enfin presque, mais pourquoi tu me réveilles ?!

– Tu veux la voir, cette Béatrice ?

Se redressant sur son lit, elle a demandé :

– Sur Facebook ?!

– Tu sais bien que maman refuse pour le moment que j'aie un compte Facebook. Et je n'ai aucune idée si cette fille, elle, est sur Facebook. Mais moumou nous a prises en photo, elle et moi.

– Pourquoi tu ne me l'as pas dit plus tôt ?!

– Je n'y pensais plus.

Bref, on a couru en bas. Astrid était étendue sur le sofa, la tête sur les genoux de son Marc. Ils écoutaient de la musique.

– Maman, peux-tu nous montrer la photo de Béatrice et moi ? Et me l'imprimer, s'il te plaît, ma petite moumou que j'aime et que j'adore !

– On peut faire ça demain, les filles ?

Et comme si sa vie en dépendait, ma sœur a décrété :

– Non, désolée, on en a absolument besoin maintenant!

– T'en as de la chance! m'a lancé Caro en scrutant la photo. Tu auras Petrus côté jardin et Béatrice côté rue!

Mais qu'est-ce qu'elles ont toutes à vouloir absolument que cette fille qui m'était encore inconnue il y a moins d'une heure devienne mon amie?!!! Ce n'est pas parce qu'on se ressemble qu'on va nécessairement s'entendre… Qui vivra verra.

## Vendredi 27 mai

Fini, les épreuves de français (lecture). Lundi et mardi prochain, c'est la partie écriture. En fait, cher journal, j'aime les examens de français! Ce sont les maths qui m'inquiètent… Les examens auront lieu la semaine du 6 juin.

Ce soir, congé de devoirs et même de journal intime! On va regarder un film en famille.

## Samedi 28 mai

À 8 h 10, j'ai émergé de mon sommeil. À 8 h 12, j'ai découvert sur mon iPod qu'aujourd'hui était *the* jour J! L'émission de télé transmettant la cérémonie débutera à 11 h dans une église de Manhattan (à New York). Il était trop tôt pour appeler Marie-Ève à Gatineau, mais je l'ai textée.

> Bon matin, Marie. Bravo, tu as deviné la date du mariage de Lola Falbala et Kevin Esposito : c'est bien aujourd'hui, à 11 h !!!

Peu avant 10 h, elle m'a répondu.

> Je viens de me réveiller. Merci de m'avoir informée, Alice. Je souhaite plein de bonheur aux futurs mariés ! Mon seul regret est qu'on ne puisse pas suivre l'événement ensemble, toi et moi. Au moins, Nina a accepté de regarder l'émission avec moi.

Elle en a de la chance, Marie, d'avoir une belle-mère cool ! Moi, ce n'est certainement pas avec moumou que je m'installerai devant la télé, tout à l'heure. Pas question qu'elle me gâche mon plaisir avec ses remarques terre à terre.

*10 h 50. Ma famille est partie au parc. Je m'apprête à regarder le mariage du siècle !*

Une demi-heure plus tard, je reprends mon cahier. Donc, la grande église était pleine à craquer de gens élégants. Des dizaines de somptueux bouquets de fleurs blanches bordaient l'allée centrale. Lola Falbala s'est fait désirer, puis, tout à coup, une musique céleste a fait se retourner tout le monde vers la porte d'entrée, et la star s'est avancée dans l'église au bras de son père. Heureusement qu'il la soutenait, d'ailleurs, car elle vacillait sur ses talons vertigineux. Quelle belle robe elle portait !

– Kevin Esposito, voulez-vous prendre pour épouse Lola Falbala ici présente ?

– Oui ! a dit haut et clair le célèbre acteur, très élégant dans son costume gris pâle et sa cravate en soie bleu ciel.

*Une parenthèse, cher journal. Si le commentateur parlait français, la célébration, elle, se déroulait en anglais. Un bon exercice pour moi, qui, à l'inverse des cours rasoir de Cruella, me donne envie de comprendre.*

– Lola Falbala, voulez-vous prendre pour époux Kevin Esposito ici présent ?

C'était si beau que je retenais mon souffle. Lola aussi, apparemment, car elle n'a pas répondu immédiatement. Tout le monde était suspendu à ses lèvres, mais le silence s'est éternisé. Elle a baissé la tête. Le prêtre s'est raclé la gorge. Lola devait être tellement émue que ça lui avait coupé la parole ! Le prêtre a reposé la question, cette fois d'une voix plus forte :

– Lola Falbala, voulez-vous prendre pour époux Kevin Esposito ici présent ?

La star a regardé son fiancé droit dans les yeux.

– Non.

– Comment ça, non ?! a fait Kevin Esposito, estomaqué.

– Non ! a répété Lola d'un ton plus assuré.

Et, ôtant ses sandales, elle s'est élancée vers la sortie avec sa traîne à un million de dollars qui balayait le tapis rouge. Je me serais crue en train de regarder une télésérie. Mais non, ce retournement de situation se passait pour de vrai à New York !

Quelle pagaille !!! La jeune sœur de Lola Falbala, Graziella, a couru derrière elle. Melinda Esposito, elle, s'est précipitée dans les bras de son frère en sanglotant. Quant à la mère du marié (enfin, du marié, c'est beaucoup dire, disons plutôt du fiancé éconduit), elle s'est sentie mal et il a fallu l'étendre par terre… À l'extérieur de l'église, une caméra a capté l'image de la star qui s'engouffrait dans une limousine. Celle-ci a démarré sur les chapeaux de roues. Complètement choquée, je me demandais ce qui avait bien pu se passer dans la tête de Lola Falbala pour qu'elle décide à la dernière seconde de tout casser en provoquant un tel scandale. Elle s'était enfuie comme Cendrillon, mais pas pour les mêmes raisons. Le téléphone a sonné. C'était ma meilleure amie.

65

Vingt minutes plus tard, on venait de raccrocher lorsque j'ai entendu la porte s'ouvrir.

Maman m'a demandé :

– Et alors, ce mariage, c'était bien ?

Pas sur un ton sarcastique, mais gentiment, comme une mère normale s'intéresse à ce qui passionne sa fille.

– Affreux ! lui ai-je répondu. Un véritable cauchemar. Tes prédictions se sont réalisées au-delà de tes espérances, moumou. Lola Falbala et Kevin Esposito n'auront même jamais à divorcer, car il n'y a pas eu de mariage.

– Quoi ?!

Eh oui, tout le monde tombe des nues. Même Astrid Vermeulen.

– Tout ça pour ça ! a-t-elle fini par conclure en haussant les épaules après que je lui ai raconté ce qui s'était passé.

Sur le blogue de Lola, rien de nouveau. Ce soir, j'ai regardé le téléjournal. On parlait de réjouissances qui avaient tourné court, de journée éprouvante pour les familles Falbala et Esposito, mais personne ne savait encore ce qui s'était passé. La star avait disparu sans laisser de traces ni d'explications. Je suis inquiète pour elle.

## Dimanche 29 mai

Ce matin, Lola Falbala s'est expliquée sur son blogue. Au moins, elle était de retour. Bon, je te résume les rebondissements entourant ce fameux mariage avorté, cher journal.

Vendredi, Lola a croisé par hasard son ex (et ancien guitariste). Il était évidemment au courant, pour le mariage à venir, et l'a félicitée sincèrement. Elle lui a demandé :

– Et toi, que deviens-tu, Neil ? Tu vis avec quelqu'un ?

– La femme que j'aimais m'a quitté l'an dernier. Et comme personne d'autre ne lui arrive à la cheville, depuis, je suis célibataire. Oh, j'ai eu des aventures d'un soir, mais personne ne remplacera jamais cette femme qui a la plus belle voix du monde. Je l'ai dans la peau.

Lola avait compris qu'il parlait d'elle.

– Je te souhaite tout le bonheur du monde, Lolita, avait ajouté Neil en l'embrassant sur la joue.

Ça l'avait touchée qu'il l'appelle du petit nom qu'il lui donnait du temps où ils étaient épris l'un de l'autre, du temps où ils faisaient des méga-batailles d'oreillers le matin en riant comme des fous, du temps où elle buvait son café sur ses genoux, du temps où, le soir, elle chantait juste pour lui au son de quelques accords de guitare. De plus, elle avait constaté qu'il portait toujours la même eau de toilette à la fois discrète et épicée qui réveillait bien des souvenirs…

Sentant son cœur chavirer, Lola avait été sur le point de se blottir dans les bras de Neil, mais elle s'était ressaisie : elle se mariait le lendemain. Malgré ça, elle n'avait pu s'empêcher de repenser à son ancien amoureux tout au long de la journée. Il lui avait semblé encore plus séduisant qu'avant. Cette flamme-là, qu'elle croyait éteinte, venait de se rallumer.

Samedi, son réveille-matin avait sonné alors qu'elle rêvait qu'elle se trouvait dans les bras de Neil. Prenant une grande respiration pour chasser sa déception de se retrouver seule dans son lit, elle avait saisi son iPod. Ah, un texto de Kevin… Comme c'était attentionné de sa part. Voilà qui allait chasser ses idées folles et la replacer au centre de sa vie, de cette journée de mariage dont elle et lui avaient rêvé jusque dans les moindres détails.

Si tu savais comme je t'aime, Sira ! Je te le prouve chaque fois que nous nous voyons depuis cette soirée inoubliable à Los Angeles le mois dernier. Mon mariage n'y changera rien. Dès que je serai de retour de mon voyage de noces, nous continuerons à nous voir, toi et moi, je te le promets.

Sira ??? Quoi, l'homme à qui elle s'apprêtait à dire oui avait écrit un message enflammé à une autre femme ?!!! Et lui qui était d'un naturel distrait avait envoyé à sa future femme le texto destiné à sa maîtresse ! Sous le choc, Lola s'était effondrée sur son lit et avait commencé à pleurer. Ses chihuahuas, inquiets, s'étaient mis à gémir. Mais son dépit et sa peine ont vite fait place à la fureur. Elle avait soudain une envie folle d'appeler Kevin, de lui jeter à la tête : « Non seulement tu me trompes sans l'ombre d'un remords, mais en plus, tu te trompes de destinatrice ! » et de l'abreuver d'injures, de déchirer son voile de mariée qui avait coûté une fortune, d'en faire des confettis et de lancer ceux-ci par la fenêtre à la gloire d'un mariage qui n'aurait pas lieu. Alors, pourquoi avait-elle résisté à cette lame de fond ? Pourquoi était-elle restée hébétée sur le bord du lit ? Car elle pensait à ses parents venus du Venezuela pour la grande occasion. Après tous les sacrifices qu'ils avaient faits pour la soutenir alors qu'elle n'était qu'une ado inconnue et boutonneuse qui rêvait de devenir aussi célèbre que Céline Dion, elle ne pouvait pas les décevoir. Elle allait se marier puis, une fois seule avec Kevin, elle lui réclamerait des comptes. Il serait obligé de rompre avec cette Sira. Et elle, la star qui avait la planète pop à ses pieds, comptait bien le reconquérir. À cet instant, sa sœur Graziella était arrivée pour l'aider à enfiler sa robe de mariée.

– Comment ça, Lol, t'as pas encore pris ta douche ? Le coiffeur débarque dans un quart d'heure !

Telle une automate, Lola Falbala avait fini par arriver à l'église avec sa famille. En guise d'explication à son teint pâle et à son air hagard, elle avait prétexté souffrir d'un violent mal de tête. « Normal, avait dit sa mère. C'est la fatigue de tous les préparatifs du mariage qui te tombe dessus. Et puis l'excitation d'y être enfin ! Tu te reposeras pendant ta lune de miel aux Bahamas, ma chérie. »

Mais une fois aux côtés de Kevin, Lola s'est ressaisie. Il lui était impossible de se marier avec ce traître. Après s'être enfuie de l'église, elle s'était cachée dans un hôtel de banlieue. Elle avait prévenu sa famille. Ils étaient venus la rejoindre et elle les avait mis au courant des événements des dernières 24 heures. Ils la soutenaient tous, inconditionnellement. Sa mère qui ne jurait que par son célèbre futur gendre était maintenant la plus démontée de tous contre ce lâche, cet hypocrite! Elle exigeait qu'il paye seul tous les frais du mariage. Ce matin, les paparazzis cernaient l'hôtel. Avant de retourner chez elle, Lola Falbala se devait d'abord d'expliquer à ses millions de fans pourquoi, alors que le samedi 28 mai était censé être le plus beau jour de sa vie, elle avait dit: «Non!» Et pourquoi elle ne le regrettait pas un instant.

> Marie, tu as lu le blogue de Lola Falbala?

> Oui, la pauvre! Imagine comment elle a dû se sentir. Mais elle a eu 1 000 fois raison de ne pas se marier dans ces conditions.

> Évidemment! Comment veux-tu aimer quelqu'un qui n'a aucun respect pour toi et vivre avec lui en plus?! Mais rompre à l'église, devant tous les invités, ça prend quand même un sacré courage.

Dire que, jusqu'à ce midi, Kevin Esposito était mon acteur préféré! Il m'a terriblement déçue. Par solidarité avec Lola Falbala, jamais plus je ne regarderai un de ses films!

Au moins, Lola Falbala a retrouvé sa liberté et sa dignité. Et peut-être reverra-t-elle son guitariste? Qui sait?! Moumou n'a pas tort, finalement: l'amour, le vrai, celui qui fait battre notre cœur, c'est ça qui compte, encore plus que le mariage.

## Lundi 30 mai

Ce matin, dans la cour, on ne parlait que de la fracassante rupture du couple Falbala-Esposito.

La réputation de Kevin Esposito va en pâtir, c'est sûr! (Kelly-Ann)

Tant pis pour lui, il l'a bien mérité! (CF)

Pour Lola, ça a eu l'effet contraire: le nombre de fans qui ont aimé sa page Facebook a presque doublé en une nuit! Les gens sont outrés que Kevin veuille lui intenter un procès. (Africa)

Intenter un procès à la femme qu'il trompait! C'est un comble!!! Quand même, moi, je la plains, Lola! C'est terrible, ce qui lui arrive! (Audrey)

*Tu as raison, mais au moins elle a appris l'aventure de Kevin juste à temps pour ne pas se faire enfiler la bague au doigt. Tu t'imagines si elle avait découvert que Kevin avait une maîtresse en voyage de noces...* (Marie-Ève)

Qu'est-ce qui s'est passé? (Emma, qui venait d'arriver.)

À l'heure de la récré, Marie et moi avons fait un détour par les toilettes avant de descendre dans la cour. En sortant, on a eu la surprise de trouver Gigi Foster, Chloé et Magalie sous l'érable. Assises contre le tronc, elles partageaient leurs collations en papotant. Quand JJF nous a repérées, elle a poussé Chloé du coude. Toutes deux nous ont observées pendant qu'on s'approchait.

Ma BFF et moi, on s'est regardées.

– Pourquoi vous restez plantées là avec cet air de poisson frit? a fait JJF. Dégagez!

Ma meilleure amie a protesté.

– Mais... on s'est toujours installées là!

– C'est possible, mais l'arbre ne vous appartient pas, que je sache. Nous aussi, on a le droit de se mettre au frais.

En soupirant, on s'est éloignées et on est allées manger nos collations avec les deux Catherine à côté de la grille.

Peu avant que la cloche ne sonne, Sammy, un gars de 6e A, est venu distribuer les DVD de la soirée africaine à ceux et celles qui en avaient commandé. L'enregistrement du spectacle, je le regarderai un de ces jours avec Caro. Ça restera un de mes plus beaux souvenirs de l'école des Érables! Et sur ces belles paroles, je te laisse, cher journal, car j'ai un million de devoirs. Blague à part, à mesure qu'on approche de la fin de l'année, madame Robinson nous abrutit de travail à la maison.

## Mardi 31 mai

En arrivant dans la cour, j'ai vu Gigi Foster en pleine discussion avec Magalie, Brianne et Angelica sous NOTRE érable. Pfff... c'est pas vrai. J'espère qu'elle ne prendra pas cette habitude. J'ai cherché Marie-Ève du regard. Elle se tenait près de l'escalier avec Africa, Kelly-Ann et Audrey. Je les ai rejointes.

– Comme ça, Gigi a installé ses quartiers sous l'érable? a dit cette dernière.

– Apparemment oui, lui ai-je répondu. Mais j'espère qu'elle ne va pas le monopoliser jusqu'à la fin de l'année. Surtout qu'avec la chaleur qu'il fait, je préférerais me mettre à l'ombre.

– Moi, je suis sûre que c'est une machination destinée à embêter Alice, a déclaré Africa.

Se tournant vers moi, Marie-Ève a renchéri:

– Jusqu'au dernier jour d'école, Alice, cette peste va chercher à te pourrir l'existence.

– Mais pourquoi ne te supporte-t-elle pas? m'a demandé Kelly-Ann qui, les autres années, ne se trouvait pas dans la même classe que nous. On dirait qu'elle t'en veut.

– J'ai beau me torturer les méninges, je ne me souviens d'aucune méchanceté de ma part, lui ai-je répondu, d'aucun coup bas. Elle ne peut pas me piffer, c'est tout.

Deux heures plus tard, lorsque la cloche a sonné la récré, ma meilleure amie et moi, on s'est dépêchées. Yééé, on était les premières sous l'érable ! Mais à peine était-on assises que JJF et ses amies nous ont rejointes. Mon ennemie a eu le toupet de s'installer à deux pas de moi.

– Va-t'en, lui ai-je dit, on était ici avant vous.

Comme un perroquet, JJF a répété d'une voix moqueuse :

– Va-t'en ! On était ici avant vous.

– Voyons, arrête !

– Voyons, arrête !

– Stop, Gigi, a fait Magalie en posant la main sur l'épaule de son amie. C'est plus drôle.

Et, se levant, elle s'est éloignée.

– Toi et Marie-Ève, vous monopolisez l'arbre depuis la maternelle, m'a dit Gigi Foster. Mais il appartient à tout le monde. Nous aussi, on a le droit de rester là.

Le pire, cher journal, c'est qu'elle a raison.

– Laisse tomber, Gigi, a fait Angelica en se levant à son tour.

En se remettant debout, JJF a marmonné :

– T'as raison. Les bébés veulent se mettre à l'ombre ? Eh bien, qu'elles y restent !

Et elle est partie avec Chloé.

Les pestes (Gigi et Chloé...)

# Mercredi 1er juin

Ce matin, Caro était enchantée, car pour une fois, elle n'a pas dû m'attendre pour partir à l'école. En déposant mon sac au pied de l'érable, je me sentais un peu comme un soldat qui plante un drapeau sur le terrain qu'il a reconquis de haute lutte. J'ai balayé du regard la cour d'école. J'ai repéré JJF. Elle s'entraînait à lancer un ballon de basket dans le panier sans toucher l'arceau. Discrètement, j'ai caressé l'écorce de l'arbre majestueux. Ce n'est pas pour « gagner » que je souhaite continuer à retrouver mes amies à l'ombre de sa ramure. Mais parce que, l'année scolaire se terminant le 23 juin, les jours où je pourrai encore le faire sont comptés. Et puis, je l'aime, cet arbre qui m'a vue grandir.

– Youhou, Alice, tu rêves ? m'a demandé ma meilleure amie en se matérialisant devant moi.
– Oh, bonjour, Marie-Ève ! Comment vas-tu ?
– Bien. La bataille de territoire autour de l'érable semble terminée, à ce que je vois. Tant mieux !

Violette nous a rejointes. On s'est saluées puis, les yeux brillants, elle s'est exclamée :
– Félicitations pour ta mère, Alice ! J'étais tout excitée quand mon père m'a montré ça, hier soir.
Devant mon air ahuri, Violette a compris que je n'avais aucune idée de ce dont elle parlait.

– *Tofu tout fou!* a fait son entrée cette semaine dans le palmarès des meilleures ventes de livres au Québec, m'a-t-elle expliqué. En 9ᵉ position. Tu n'étais pas au courant?

– Non. Ça veut dire que c'est un des livres les plus achetés?!

– Exactement. Rien qu'à notre librairie, depuis l'émission de télé à laquelle ta mère a participé, son livre se vend comme des petits pains.

*Dans ce cas-ci, l'expression devrait plutôt être « se vendre comme des paquets de tofu »!*

J'avais hâte d'annoncer la bonne nouvelle à Miss Tofu, ce soir!


Mais en attendant, à l'heure du midi, c'était la deuxième fois que j'accompagnais ma prof, Balzac et Jonathan au parc Ahuntsic. Ou plutôt la première fois. Car en février, il y avait tellement de neige qu'on avait dû se contenter de faire le tour extérieur du parc. Cette fois, on a grimpé sur la butte. Bien entendu, Balzac et Joey qui le tenait toujours en laisse sont arrivés les premiers en haut. Mettant ses mains en porte-voix, ce dernier a crié à madame Robinson:

– On peut y aller?

– Oui, *go!*

Et son élève ainsi que son chien ont dévalé la pente. Lorsque la prof et moi avons atteint le sommet, on s'est assises sur l'herbe. Jonathan et Balzac nous ont rejointes pour aussitôt redescendre en courant.

– Tu vois, Alice, ça fait autant de bien à Jonathan qu'à Balzac.

– Vous avez raison, madame. On l'a remarqué, en classe, que le mercredi après-midi, Jonathan est beaucoup moins remuant que d'habitude.

Madame Robinson m'a demandé si j'avais commencé le roman emprunté hier.

– Juste les premières pages. Catherine Frontenac et Emma m'ont convaincue de le lire. Mais au départ, j'avoue que c'est la couverture qui m'a attirée. J'adore les cochons d'Inde. Surtout depuis que nous en avons deux à la maison.

– Ah oui ? a fait Fanny Robinson. Et depuis quand ?

Ma prof a voulu tout savoir. Elle s'intéresse vraiment à chacun de ses élèves, cher journal, enfin, je veux dire, elle s'intéresse à nous pas seulement comme élèves, mais aussi à notre vie en dehors de l'école.

Après quelques allers-retours, Joey avait le feu aux joues et Balzac haletait, la langue à terre. Il paraît que les chiens transpirent par la langue. Jonathan a vidé sa gourde puis, sortant de son sac une bouteille et un bol, il y a versé de l'eau.

– Pour toi, Balzac, a-t-il dit en déposant le bol à terre.

Le chien ne s'est pas fait prier et s'est désaltéré lui aussi. Jonathan s'est écrié :

– J'ai faim, madame. On peut aller manger ?

– D'accord. Rendez-vous à la table de pique-nique habituelle dans deux minutes.

Joey et Balzac sont repartis au pas de course. Tandis qu'on les rejoignait, j'ai vu notre ouragan imiter un fusil avec ses doigts. Paw ! Paw ! Le labrador est tombé comme une masse sur le côté. Hein ?! Il ne bougeait plus. Un peu inquiète, j'allais demander à ma prof si son chien allait bien quand Jonathan a lancé : « Bravo, Balzac ! Debout ! » Ce dernier s'est relevé joyeusement. Fiouuu…

Madame Robinson m'a expliqué que c'est son fils qui avait appris ce tour à Balzac. Et qu'elle l'avait montré à Jonathan la semaine dernière.
– Tu veux essayer ? m'a proposé celui-ci.

Bien que n'ayant aucune envie de « tuer » Balzac, même pour rire, je me suis quand même exécutée pour faire plaisir à Jonathan. Paw ! Paw ! Joey a levé une patte de la « victime », mais elle est retombée, inerte. Il a secoué légèrement une autre patte. Toujours aucune réaction. **Ce chien est extraordinaire, cher journal !** Seuls ses yeux qui suivaient Jonathan trahissaient le fait qu'il jouait la comédie.
– Bravo, Balzac ! Debout ! ai-je lancé à mon tour pour mettre fin au jeu, car moi aussi, j'avais grand-faim.

– Bon appétit ! nous a dit madame Robinson avant de mordre avec appétit dans son sandwich.

*Miam !*

Dans ma boîte à lunch, j'ai trouvé :
le restant de la salade grecque d'hier soir (Astrid fait la meilleure salade grecque au monde !) + un œuf dur + un muffin pomme-rhubarbe + une limonade maison + une bouteille d'eau.

Jonathan avait engouffré son sandwich en moins de temps qu'il ne faut pour le dire afin d'avoir le temps de lancer une petite balle orange à Balzac. Celui-ci partait à fond de train et était ravi de lui rapporter son butin. J'ai pensé qu'on était vraiment bien, au pied du « mont Ahuntsic » (je blague, cher journal, il s'agit juste d'une butte dans le parc). Loin du brouhaha de la cafétéria. Des petits nuages blancs dérivaient sur le bleu du ciel, jouant à cache-cache avec le soleil. Après tout, c'était spécial d'aller pique-niquer avec son prof et le chien de celle-ci... J'ai pensé aussi : « Merci, maman ! » pour ce bon lunch et pour tous les lunchs savoureux qu'elle nous prépare, à Caro & moi, chaque jour de la semaine depuis des siècles.

Le cri de Jonathan m'a tiré de ma rêverie.
– Balzac saigne !
Se levant d'un bond, madame Robinson s'est précipitée vers eux. Je l'ai suivie. Le chien blond qui venait de déposer la balle à terre semblait intact. Mais derrière lui, des traces rouges brillaient sur l'herbe. Sa maîtresse lui a donné l'ordre de se coucher et Balzac s'est exécuté. Sa patte avant gauche pissait le sang ! Cette fois, il ne s'agissait pas d'un jeu. Paniqué, Joey a supplié :
– Faites quelque chose, madame, sinon vot'chien va mourir !
– Il... il a une hémorragie, ai-je ajouté d'une voix blanche.
J'ai senti un fluide glacial me parcourir de la tête aux pieds. Alors que je me remettais à peine de la mort de madame Baldini, je n'allais quand même pas devoir subir l'agonie de la mascotte de notre classe devant mes yeux !

La prof nous a enjoints de rester calmes. S'agenouillant auprès du blessé, elle a examiné sa patte sans se préoccuper du sang qui jaillissait sur ses mains. C'était terrible ! Après avoir enlevé le chemisier vert lime à manches courtes qu'elle portait sur une camisole blanche, madame Robinson nous a demandé :

– Alice et Jonathan, tournez-vous un instant vers la butte, s'il vous plaît. Et fermez les yeux jusqu'à ce que je vous dise de les rouvrir.

– Mais pourquoi ?!

– Jonathan, fais ce que je te demande ! Ferme tes yeux.

Bizarre… qu'allait-elle faire à ce pauvre Balzac ?!

Quelques secondes plus tard, quand madame Robinson nous a autorisés à nous retourner, elle pliait sa camisole… Elle l'avait enlevée et avait renfilé son chemisier lime qu'elle avait boutonné, cette fois. Reprenant la patte de Balzac en main, elle y a appliqué le tee-shirt transformé en épais pansement. Le labrador s'est laissé faire sans broncher. Madame Robinson, elle aussi, gardait son sang-froid.

– Mon chien n'est pas en danger, nous a-t-elle déclaré. Comme ses coussinets contiennent plusieurs vaisseaux sanguins, en cas de coupure, ils saignent abondamment. Heureusement, le sang des mammifères comporte des plaquettes sanguines. Ces cellules jouent un rôle important dans la coagulation. Lorsqu'on se coupe, par exemple, cela prend cinq minutes aux plaquettes pour migrer au niveau de la blessure. Les plaquettes se collent alors les unes aux autres pour former un caillot sanguin. Cette sorte de

81

bouchon obstrue le site du saignement et celui-ci s'arrête. Je vais donc maintenir pendant cinq minutes la pression sur la plaie à l'aide de cette compresse improvisée et ça devrait aller.

Je reconnaissais bien ma prof. Elle ne perdait jamais une occasion pour nous enseigner quelque chose. Même si ses explications et son ton calme m'avaient rassurée, je lui ai demandé :

– Balzac ne souffre pas ?

– Certainement que oui, Alice, mais les labradors sont reconnus pour leur tolérance à la douleur. Mon chien pleure rarement quand il a mal.

– Qu'est-ce qui l'a blessé ?

– Il a dû marcher sur du verre brisé, j'imagine.

Bondissant sur ses pieds, Joey a suivi les traces de sang, puis s'est penché. Il est revenu nous faire part des résultats de son enquête.

– Vous avez raison, madame ! C'est un morceau de bouteille de bière.

Et il a agité la preuve sous nos yeux. J'ai vivement reculé tandis que notre enseignante criait :

– Jonathan, je t'en prie, donne-moi ce tesson de bouteille !!! Il ne manquerait plus que ça, que tu te blesses.

« Ou que tu nous blesses », ai-je pensé. Je m'imaginais déjà le topo : nous, arrivant à l'école. Nous, c'est-à-dire Balzac et sa patte sanguinolente, madame Robinson avec ses mains ensanglantées et son chemisier rougi, lui aussi (sans compter son tee-shirt imbibé de rouge), moi, le visage défiguré et, pour couronner le tout, Jonathan avec une profonde entaille à la main... une vraie scène de film d'horreur.

Déjà comme ça, notre retour à l'école n'est pas passé inaperçu. Balzac clopinait sur trois pattes. La prof m'a envoyée chercher une bande de gaze et une paire de ciseaux chez la secrétaire. Je l'ai rejointe dans les toilettes des filles où elle avait nettoyé la plaie de son chien. Après avoir séché la blessure à l'aide d'un morceau de gaze stérile, elle a emballé la patte avec le restant du rouleau de gaze. Elle a pris rendez-vous à la clinique vétérinaire pour 17 h. Car il fallait non seulement désinfecter la plaie du chien en profondeur, mais aussi lui administrer des antibiotiques pour éviter que la blessure ne s'infecte et enfin lui faire une radio, question de s'assurer qu'il ne restait aucun morceau de verre dans son coussinet.

Dès que madame Robinson a ouvert la porte de la classe, j'ai pris le bol de Balzac et je suis allée le remplir d'eau fraîche. Le chien a bu longuement, sans se soucier de l'effervescence qui régnait autour de lui. Jade s'est étonnée.
– Je ne pensais pas que les coussinets des chiens étaient si fragiles.
– Tu as raison, a répondu madame Robinson. La peau des coussinets est très épaisse. Elle protège leurs pattes. Mais le tesson de bouteille sur lequel Balzac a malencontreusement marché devait être terriblement coupant.
Patrick a demandé à notre enseignante:

– Votre chien peut passer sa convalescence avec nous?

Et nous, on s'est écriés :

Oui!

Oh oui!   Yééé!!!

Youpi!

BONNE IDÉE, PAT!

Dites oui, s'il vous plaît, madame, je vous en supplie!

– Chuuut! a réclamé la prof. Je n'ai pas envie de perturber la classe de monsieur Gauthier (en dessous de la nôtre, je te le rappelle, cher journal) ni celle de madame Pescador.

Puis, retrouvant le sourire, elle a poursuivi :

– Vous voulez vraiment que mon labrador refasse partie de la classe à temps plein pour les prochains jours? À part pendant notre semaine en Gaspésie, bien sûr.

À l'unanimité, c'était oui.

– Ce serait idéal, a concédé la prof. J'envoie un texto à monsieur Rivet à ce sujet.

Lorsque la cloche a sonné la fin de la journée, nous sommes descendus. Le mercredi, je ne dois pas attendre ma sœur, alors j'ai accompagné Marie-Ève à la porte de l'étude et on est restées quelques minutes ensemble. En-suite, en me dirigeant vers la sortie, je suis passée devant la porte du bureau de monsieur Rivet. Celle-ci était entrou-verte. J'ai entendu le directeur déclarer :

– Je vais recontacter les assurances, Fanny, mais pour moi, c'est oui. Au début, je t'avoue que j'étais sceptique. Je vous ai quand même donné votre chance à tous les deux. Mais j'admets que les résultats de cette expérience sont au-delà de mes espérances! Je suis impressionné.

Revenant quelques pas en arrière, j'ai déposé mon sac d'école à terre et me suis mise à fouiller dedans comme si j'y cherchais quelque chose.

– Merci, Jean-Luc, a répondu madame Robinson. Effectivement, la présence de Balzac rend mes élèves davantage confiants en eux, notamment lors des contrôles. Ce matin, Jonathan et Stanley se sont disputés et mon labrador s'est interposé entre eux. À Stanley qui se demandait ce que Balzac faisait, j'ai expliqué qu'il jouait un rôle d'arbitre, comme les chiens le font parfois entre eux. La chicane s'est arrêtée comme par magie et les deux garçons se sont mis à cajoler Balzac.

La prof a continué :
– Parlant de Jonathan, il est moins bruyant et plus appliqué depuis que mon labrador fait partie de la classe. Il a aussi développé son sens des responsabilités, et son estime de soi en profite grandement. Bref, je le sens prêt à entamer le secondaire à l'école des Gars. Violette, plutôt réservée au début de l'année car elle ne connaissait personne, a pris de l'assurance. C'est beau de la voir s'épanouir de jour en jour et je suis sûre que Balzac y est pour quelque chose. Catherine Frontenac, qui est une grande sensible, s'emporte moins souvent et a arrêté de ronger ses ongles. Quant à Alice, elle est moins dans la lune…

85

Des élèves et des profs passaient en me contournant, moi qui, toujours accroupie au milieu du couloir, continuais à farfouiller dans mon sac d'un air affairé.

– Écoute, Fanny, je vais te faire part d'un projet. Mais j'aimerais qu'il reste entre nous, pour le moment. Aimerais-tu suivre une formation en zoothérapie cet été ?

– Explique-moi ce que tu as en tête, Jean-Luc.

– Si les assurances étaient d'accord, à partir de la rentrée scolaire, Balzac pourrait passer deux jours par semaine dans ta nouvelle classe.

– Lui et moi, c'est sûr qu'on aimerait ça !

– Il se peut que je te donne une des deux classes de 4e année, à la rentrée.

– Si c'est le cas, j'aimerais beaucoup hériter des élèves de madame Popovic. Ils ont l'air tellement dynamiques.

– Depuis quand épies-tu le directeur ? m'a demandé Gigi Foster en me surplombant de toute sa hauteur.

– Euh… j'épie personne, me suis-je défendue à voix basse. Je passais par là et, tout à coup, j'ai voulu vérifier si je n'avais pas oublié…

Sans attendre la fin des explications peu convaincantes dans lesquelles je m'embourbais, JJF a frappé à la porte du directeur et moi, j'ai filé sans demander mon reste.

Caroline m'a déjà dit qu'elle aimerait un jour se retrouver dans la classe de Fanny & Balzac Robinson. Il se peut que son rêve se réalise dès la rentrée. Je le lui souhaite de tout cœur! Je ne peux évidemment rien lui révéler, à ma sœur, ni à personne d'autre, d'ailleurs, puisque la conversation que j'ai surprise était censée être Top secret. Mais moi, ça me fait plaisir de savoir que monsieur Rivet apprécie tant la présence du labrador à l'école. Et que du coup, nous aurons sans doute la chance de pouvoir prendre soin de lui la semaine prochaine.

Par contre, ce que j'étais autorisée à dévoiler à ma famille, c'était l'envolée de *Tofu tout fou!* Mais la surprise que je réservais à maman est tombée à l'eau, car avec les réseaux sociaux, elle était au courant depuis ce matin que son livre se trouvait dans le fameux palmarès.

## Jeudi 2 juin

Des nouvelles de Lola Falbala :
Sur son blogue, il est indiqué que vu les circonstances, la star fait une pause pour le moment.

Des nouvelles de Balzac :
🐾 La radio de sa patte blessée a révélé qu'il ne restait aucun éclat de verre dans la plaie.
🐾 Il doit prendre une pilule antidouleur le matin ainsi que des antibiotiques trois fois par jour.
🐾 Madame Robinson a annoncé qu'elle avait reçu du directeur l'autorisation d'emmener son chien en classe jusqu'à la fin de la semaine prochaine.

C'est ainsi que le bon labrador est arrivé clopin-clopant, sur trois pattes. La quatrième, qu'il tenait en l'air, était emballée dans un bête sac en plastique. Hein, c'est comme ça que le médecin vétérinaire soigne ses patients?! Et puis, Balzac était affublé d'un affreux cône en plastique transparent. On aurait dit que sa tête était coincée dans un entonnoir.

– Ce collier élisabéthain empêche Balzac de mordiller son bandage, de tirer dessus et de le défaire, nous a expliqué madame Robinson. Il devra le garder deux semaines.

Quant au plastique qui couvrait sa patte blessée, sa maîtresse l'a enlevé en signalant qu'elle le remettrait avant de sortir afin que le pansement reste propre et sec.

– Vous devez souvent changer son bandage? lui a demandé Eduardo.

– Matin et soir.

– Oh, je pourrais me charger du bandage du matin, madame?

– D'accord, Eduardo. Demain, après la dictée, je te montrerai comment faire.


– Quel dommage! nous a confié Africa à la récré. Dire que je voulais prendre des photos avec Balzac avant la fin de l'année, mais il a l'air tellement ridicule avec ce collier…

– Et le pire, c'est qu'il le sait, a renchéri Jade. Même quand il était malade, en février, il n'a jamais eu une si piteuse mine.

La présence de ce fichu «collier» rend non seulement Balzac honteux, mais aussi maladroit. Il se cogne partout.

En plus, ça doit lui donner chaud. Frustré, il a fini par se retirer sur sa couverture au fond de la classe et s'est mis à haleter (sa façon de transpirer). On avait à peine terminé la révision pour l'examen de demain qu'il s'est mis à se gratter comme un fou pour essayer d'arracher une fois pour toutes ce scrogneugneu d'accessoire. En vain, bien sûr. Bref, la mascotte de la classe en a perdu l'envie de jouer et même l'appétit. Aujourd'hui, il ne s'est pas amusé à tirer les lacets de Bohumil et n'a même pas mendié de collation. Pas normal, ça !

Cet après-midi, même avec les fenêtres ouvertes, il faisait trop chaud dans la classe ; on aurait dit que l'air ne circulait pas. Tout le monde était sur les nerfs et lorsque la cloche a sonné, Audrey, sans aucun ménagement, a reproché à son voisin (Jonathan) de sentir la transpiration ! Le pauvre, il avait l'air gêné et il s'est même excusé.

20 h 39. Avant de me coucher, je vais feuilleter le nouvel *Écho des Érables* que nous avons reçu aujourd'hui. Et lire l'entrevue que ma sœur a consacrée non pas à un prof de l'école, ce mois-ci, mais à notre directeur. Quelle bonne idée !

### 20 h 51. *Tout, tout, tout sur Jean-Luc Rivet...*
Désolé, cher journal, mais comme je tombe de sommeil, je te dévoile une seule info sur la vie privée notre directeur : jamais je n'aurais pensé qu'il était ceinture brune de karaté !

# Vendredi 3 juin

En arrivant en classe, Jonathan a annoncé d'un air triomphant à sa voisine :
– Je ne sens plus !
– De quoi tu parles ? lui a demandé Audrey.
– J'ai acheté le déodorant de Lola Falbala.
    Patrick s'est esclaffé :
– Tu mets du déo pour filles, Joey ?!
– Ça va pas la tête, non ! C'est *Real Man,* de Lola Falbala :
100 % masculin.
– Ça, c'est toi qui le dis…, a ajouté Patrick pour le faire marcher.
– *Yo man !* s'est énervé Joey. J'ai pas l'habitude de mentir !
En plus, la preuve est dans mon sac.
    Et plongeant la main dedans, il en a sorti un *spray*.

Jade, elle, avait une surprise pour notre éclopé. Après avoir déroulé le poster d'une superbe chienne labrador noire, elle l'a punaisé au fond de la classe, juste au-dessus de sa couverture.
– Regarde, Balzac, je t'ai apporté la photo d'une jolie amoureuse. Elle te plaît ?
    Balzac a émis un gémissement.
– Comme ça, ça te changera les idées.
    Et en effet, ça marche ! Le chien regarde souvent la belle Victoria (comme l'a baptisée Jade) en penchant sa tête sur le côté. Déjà cet après-midi, il avait l'air moins déprimé.

En arrivant chez moi, j'ai vérifié sur mon iPod l'affaire des déodorants. Joey a raison. Lola Falbala a sorti *Real Man* pour hommes et *Dream Girl* pour femmes.

## Samedi 4 juin

Ce matin, j'avais déjà attaché la laisse à ma chienne avec laquelle je m'apprêtais à sortir lorsque Tilt !
– Attends, Cannelle, j'arrive !

J'ai grimpé les marches quatre à quatre, j'ai pris un billet de 10 $ dans ma tirelire. Et sans plus attendre, je suis passée à la pharmacie pour acheter mon premier déodorant (*Dream Girl,* évidemment). Ni vu ni connu. Il sent super bon (le lys blanc).

Toujours ce matin, à 10 h 30, voilà que la sonnerie de Skype a carillonné. J'ai piqué un sprint vers le bureau, le cœur battant car j'espérais que ce soit Karim, même si je préfère de loin lui parler lorsque je suis seule à la maison…
– Oncle Alex ! s'est écriée ma sœur en cavalant derrière moi dans l'escalier.

Raté pour elle, c'était bien Karim et son sourire irrésistible. J'ai intimé à Caro de sortir et de refermer la porte derrière elle.
– Bon anniversaire ! m'a souhaité Karim.
– Euh… merci, Karim. En vérité, mes 12 ans, c'est pas en juin, mais au mois d'août que je les fêterai.

– J'le sais bien, Alice, que tu es née le 15 août! Je te parlais d'un autre anniversaire: aujourd'hui, ça fait un an qu'on est ensemble, toi et moi.

*Enfin, ensemble, façon de parler, car on n'a jamais été aussi éloignés l'un de l'autre que depuis qu'on est ensemble (puisque, je te le rappelle, cher journal, même pas trois semaines après le Big Bang, lui et sa famille ont déménagé à Beyrouth).*

Décidément, je suis une incorrigible distraite! Et Karim est toujours aussi romantique. Comme c'était gentil à lui de souligner ce moment inoubliable.

– Je passe le week-end dans les montagnes, chez mes grands-parents, a poursuivi Karim. Et hier soir, j'ai vu la Grande Ourse. Chaque fois que je la vois, Alice, je pense à toi.

Quand je te disais, cher journal, que mon amoureux est romantique… On a papoté longtemps, mais tout à coup, j'ai entendu une fille dire: « Et alors, Karim, tu viens? »

– J'arrive dans deux minutes, Christina.

Christina, c'est sa sœur. Karim s'en allait jouer au badminton avec elle et leurs cousins.

– Dommage que tu ne sois pas ici avec nous. On s'amuse bien!

– Dommage ou… heureusement pour toi! ai-je répondu à la blague. Tu connais mes talents pour les jeux de ballons et de volants… Je ferais perdre ton équipe. Bon, moi, je vais promener ma chienne, puis je me replonge dans mes exercices de maths. Car c'est lundi que débutent les examens du ministère en mathématiques…

– Ils vont durer toute la semaine?

– Oui, le matin. De lundi à vendredi, on aura deux petites épreuves à résoudre + un examen de connaissances + une grosse résolution de problème. Même si madame Robinson nous a hyper bien préparés, je me sens stressée…

– Ça va bien aller, Alice. Je penserai à toi.

– Merci, Karim! Bon badminton et à bientôt.


15 h. Confortablement installée dans le hamac, je feuilletais le dernier numéro du magazine *NYC* lorsque mon iPod a vibré.

> Alice, tu viens jouer
> au ping-pong?

> Maintenant?

> Oui. Je descends dans
> deux minutes.

> OK, Petrus, mais
> prends garde à toi:
> je me sens redoutable!

Ça doit être l'énergie de l'amour, cher journal, car chaque fois que je parle à Karim, j'ai l'impression que je pourrais :
♥ gravir une montagne à la course ;
♥ traverser un lac à la nage ;
♥ ou remporter un match de ping-pong…

Après avoir prévenu mes parents qui buvaient un café sur la terrasse, je me suis glissée sous la haie séparant mon jardin de celui de Petrus. Je suis tombée nez à nez avec son père qui mettait des plants de tomates en terre.
– Bonjour, Theo, ai-je fait en me remettant debout. Petrus m'a invitée à venir jouer au ping-pong. Désolée de passer par votre plate-bande.
– Pas de problème, Alice. J'ai planté mes légumes de part et d'autre de ton passage sous la haie.
– Bonjour, Willem, ai-je fait à l'attention de l'ado qui se tenait devant la table de ping-pong.

Ce dernier s'est mis à se balancer doucement de gauche à droite. Comme chaque fois que je le salue en présence de ses parents, son père lui a demandé :
– Dis bonjour à Alice.

Visiblement à contrecœur et toujours sans me regarder, le jeune autiste a répété, un peu à la manière d'un robot :
– Dis… bonjour… à… Alice.

– Salut, voisine ! a fait Petrus en attrapant la raquette rouge et une balle. Alors, tu es prête ?

J'ai saisi la raquette noire.
– Je suis prête !

Tellement prête que pour la première fois, je l'ai battu! De justesse, mais quand même! Petrus m'a félicitée. Mais il a pris une sacrée revanche lors des deux matches suivants! En passant, même si je me suis démenée au soleil pendant une heure, je ne sens pas la transpiration. Contente de mon achat!

*Yé yé youpi youpi yé!*

## Dimanche 5 juin

Hier soir, je suis allée garder Marie-Capucine et Jean-Sébastien. Dès mon arrivée, leur chien a accouru en respirant bruyamment comme s'il avait les sinus bloqués. Depuis la fois où je l'avais vu, le Boule avait grandi et forci. Ce bulldog, moi, je l'aurais plutôt appelé Bulldozer. Bref, Bulldozer ne me lâchait pas d'une semelle et n'arrêtait pas de me flairer. Résultat: le long filet de bave gluante qui pendait de ses babines s'est collé sur mon jeans. Beurk! Et quand le chien s'est mis à péter, le salon puait la rage. L'odeur était encore **PIRE** que les pets de Patrick Drolet. Notre Pat national rote et pète, mais au moins, il ne bave pas et ne respire pas comme un cochon (oups, excuse-moi, Caro…). Et il est quand même plus beau que Bulldozer qui, lui, a une tronche sinistre.

Après avoir couché les enfants, je suis redescendue au salon. Le chien a commencé à grogner. Soudain, je me suis sentie très seule face à ce molosse qui, je dois l'avouer, me faisait peur. Tilt! Je me suis rendue dans la cuisine,

Bulldozer sur les talons. Après lui avoir servi quelques-unes de ses croquettes (comme Marie-Capucine l'avait fait avant de se coucher), je suis sortie de la pièce et, prestement, j'ai refermé la porte. Trente secondes plus tard, nous étions de part et d'autre de la porte, lui et sa respiration bruyante et moi, le cœur battant. Si ce sale cabot se mettait à aboyer – comme Cannelle le ferait si on la bouclait dans une pièce –, je serais bien obligée de le délivrer et de passer une soirée angoissante en tête à tête avec lui. Mais non, il n'a pas bronché. Soulagée, je me suis éloignée sur la pointe des pieds.

Allumant la télé, je suis tombée sur une télésérie qui se déroulait dans un hôpital. Une infirmière et un médecin se faisaient des yeux doux. À l'instant où il se penchait sur elle pour l'embrasser, une sonnerie a retenti et le haut-parleur a lancé : «Code bleu! Le docteur Vigor est appelé de toute urgence à la salle 485.» N'écoutant que son devoir, le valeureux médecin a bondi, mais pas avant de déposer un rapide baiser sur les lèvres de l'infirmière. Oh zut, Marie-Capucine était de retour!

À regret, j'ai pointé la télécommande sur l'écran pour l'éteindre.

– Qu'est-ce que tu fais là? ai-je demandé à la petite fille.

– Z'arrive pas à dormir. Il est où, le Boule?

Zut de zut!

– Dans la cuisine.

Elle est allée délivrer le monstre.

– Pourquoi t'avais enfermé le Boule ?

– Il avait faim, puis il s'est couché dans son panier, ai-je menti.

J'ai dû retourner border Marie-Caprices, attendre de longues minutes dans la toilette (avec le Boule ronflant derrière la porte) pour être sûre que la fillette soit endormie avant de pouvoir séquestrer une nouvelle fois son chien dans la cuisine. Pfff… Mission accomplie ! Mais il était 20 h 29 et le générique du feuilleton défilait sur l'écran. Frustrée, je me suis étendue sur le divan et j'ai mis les écouteurs de mon iPod. La musique de cette chère Lola m'a calmé les nerfs. Son guitariste a raison : elle a vraiment une voix merveilleuse. Plus tard, j'ai fait des efforts terribles pour rester réveillée afin d'être prête à bondir libérer le Boule dès que j'entendrais les parents des petits rentrer… Quelle épreuve, cette soirée chez les Bergeron !

Aujourd'hui, maman + Zoé et moi, nous sommes parties en vélo sur la piste cyclable qui longe la Rivière-des-Prairies. Une fois au parc de la Visitation, on a détaché notre bébé chéri de son siège, on a ôté son casque et elle a commencé à faire des galipettes sur le gazon. Après avoir vidé la moitié de ma gourde d'eau, un flash m'a traversé l'esprit. J'ai dit à ma mère :

– La fête des Pères, c'est déjà dans deux semaines.

– Tu as raison, Alice !

– Inviter les grands-parents à la maison, c'est toujours agréable, mais j'aimerais amener du changement. Je voudrais faire une sortie.

– Juste nous cinq?

– Non, à sept, avec grand-papa et grand-maman.

– Et comme cadeau? Oh, j'ai une idée!

En trois minutes, à nous deux, on a imaginé une fête des Pères originale. Et moi qui avais gagné 30 $, hier, chez les Bergeron, je viens de proposer à maman d'investir 20 $ dans un cadeau commun pour papa. Pour découvrir les surprises qu'on leur réserve (à lui & à son papa Benoît), cher journal, il faudra que tu attendes le dimanche 19 juin! ☺

*Hi hi hi, je me sens aussi coquine que monsieur Gauthier, qui voulait toujours que les récompenses à ses élèves soient des surprises!*

20 h 10. Je me couche tôt, car demain, c'est du sérieux avec les examens de maths. Comme dit maman à qui j'ai confié mes inquiétudes, je vais faire de mon mieux et après, on verra… En attendant, j'ai mal au ventre…

## Lundi 6 juin

Il fait de plus en plus chaud!

– C'est le réchauffement planétaire, a annoncé Hugo d'un ton fataliste tandis qu'on s'asseyait à notre pupitre.

Marie-Ève a plissé son nez.

– C'est quoi qui sent si fort les épices?

– *XY*, a répondu Pat, juste devant elle.

– Quoi, XY?!

– C'est mon déodorant. Joey utilise *Real Man* et moi, *XY*.

Heureusement, madame Robinson a ouvert grand les fenêtres de la classe.

Les deux épreuves de maths d'aujourd'hui ont bien été. Ça m'a donné confiance.

Ce soir, *Tofu tout fou!* se trouve en 7$^e$ position dans le fameux palmarès! Ma parole, ma mère est en train de contaminer tout le Québec avec sa passion pour le tofu!

– C'est super que ton livre ait tant de succès! s'est exclamée Caroline. Et grâce à ça, tu vas sauver la vie de milliers de cochons.

Moumou a froncé les sourcils.

– De quelle façon?

– C'est évident! Plus les gens se nourriront de tofu, moins ils mangeront de porc.

Ce soir, après avoir terminé mon travail scolaire, je venais de me plonger dans *Sauveur et fils, Saison 1*, le roman que j'avais emprunté la semaine dernière. Je suis déjà à la page 125 et j'ai très envie de lire la suite. Caroline, qui lisait elle aussi dans son lit, a refermé son bouquin (clac) et s'est levée d'un bond en déclarant:

– Il est passé 8 h. Je vais dire au revoir à papa et maman, puis je me couche.

Comme les portes étaient ouvertes, la rumeur du journal télévisé dans la chambre des parents parvenait à mes oreilles.

Une seconde plus tard…
– Quels cochons ! s'est exclamé papa assez fort pour que je l'entende de ma chambre. Puis, il a éteint la télé.
– De qui tu parles ? lui a demandé Caro.
– De ces politiciens qui ont participé à un système de corruption !
– Pourquoi tu traites les sales types de cochons, papa ? C'est affreux pour les vrais cochons. C'est raciste !
– Mon chaton, raciste ne s'utilise pas dans ce cas-ci. On dit d'une personne qu'elle est raciste lorsqu'elle pense que certaines races sont inférieures à d'autres. Ce qui, bien entendu, est faux.
Ma sœur a répliqué :
– C'est exactement ça ! Les humains pensent que leur race est supérieure à la race des cochons !
– Ce mot ne concerne que les races humaines, a expliqué papa, qui, en passant, fait preuve d'une patience exemplaire avec sa fille syndicaliste qui défend les droits des cochons opprimés.

Et moi, en passant, je relisais toujours la même ligne de la page 127… Pfff…
– D'accord, j'ai compris ! a lancé notre passionaria révoltée. Traiter les sales types de cochons n'est pas raciste, c'est animaliste !

Tandis que poupou s'évertuait à lui dire que le mot animaliste avait une autre signification, les marches de l'escalier ont craqué. Maman montait.

– Chuuut! a-t-elle fait. Vous allez réveiller Zoé.

C'est avec un air de reine offensée que Caro a regagné notre chambre. Elle a planté un bisou sur ma joue (smac), en a donné un à Cannelle (smac), a éteint sa lampe de chevet (clac) et s'est couchée. Tenter de ménager la susceptibilité de ma sœur au sujet de ces mammifères roses et dodus n'est pas une mince affaire, cher journal!

## Mardi 7 juin

J'essayais de me concentrer sur les fractions dont le dénominateur de l'un est un multiple de l'autre, car dans la classe du dessous (en 5ᵉ A) régnait une sacrée effervescence. À la récré, on a su par Eduardo – dont le frère est un des élèves de monsieur Gauthier – que lui et ses amis ont eu droit à deux tours de magie. Les chanceux!

– J'espère que monsieur Gauthier nous concoctera un spectacle de magie en Gaspésie! a lancé Emma. Vous nous avez tellement parlé des talents de prestidigitateur de ce prof que je rêve de le voir en action.

– Moi aussi, ont renchéri Violette et Kelly-Ann qui, elles non plus, ne faisaient pas partie de notre classe, l'an dernier.

– Plutôt que d'espérer, on ferait mieux d'aller lui en parler, ai-je dit.

– Tu as raison, Alice, a fait Marie-Ève. Le mardi, c'est lui qui surveille la cafétéria. On lui en fera la demande ce midi.

Mission accomplie, cher journal : monsieur Gauthier a accepté de nous offrir une soirée magique durant notre semaine de classe verte. Si tu savais comme j'ai hâte de partir… plus que cinq jours !

Cet après-midi, madame Fattal nous a fait travailler en accéléré. Après la leçon n° 45 – tellement difficile que je n'y comprenais pas grand-chose, surtout à la cadence qu'on la survolait –, elle a enchaîné avec la 46 (la dernière du manuel) qu'elle a terminée à l'instant où madame Robinson refaisait son apparition dans la classe pour le cours suivant. J'avais mal à la tête à force d'essayer de suivre ce rythme effréné au cas où, moi aussi, elle me ferait lire ou répondre à une question. Quelle mouche l'avait piquée ? Tout en rangeant ses affaires, la prof d'*engliche* nous a expliqué la raison de ce marathon :
– J'ai le regret de vous annoncer que ceci était mon dernier cours. En effet, mardi prochain, vous serez en Gaspésie et le mardi 21 juin, mes cours d'anglais de l'après-midi sont supprimés en raison de la fête des enseignants. Mais au moins, je suis fière de vous avoir inculqué pendant six ans tout mon amour de la langue anglaise. Faites-moi honneur à l'école secondaire et continuez à progresser !

Il y a eu quelques timides mercis. Balzac a tiré sur sa laisse pour renifler les dessous de la jupe de Crucru.

Celle-ci lui a jeté un regard assassin avant de sortir la tête haute. Lorsqu'elle a refermé la porte de notre classe (pour la dernière fois de la vie !!!) et que le *tic tic tic tic tic* de ses talons aiguilles s'est éloigné dans le couloir, Marie-Ève et moi, on s'est tournées l'une vers l'autre, incrédules. Impossible de masquer ma joie, cher journal. Si j'avais été chez moi, j'aurais hurlé : YOUPIIIIIIIIIIIIIIIIII!!!!!!!!! en sautant sur mon lit. Je me serais ensuite défoulée en dansant et tourbillonnant et chantant à tue-tête *A real man,* une des chansons les plus ébouriffantes de Lola Falbala. J'ai dû contenir mon euphorie, mais je me suis tout de même permis un discret mais éloquent *Yes!* à l'endroit de ma meilleure amie. Les yeux brillants de bonheur, celle-ci m'a répondu :

– Tu l'as dit, Alice !

Fini de subir les foudres de Cruella ! Incroyable mais vrai, même si je n'arrive pas encore à le réaliser.

À 15 h 30, tout en rangeant mes affaires dans mon pupitre, j'ai ressenti une telle légèreté… Comme si j'étais un papillon prêt à s'envoler par la fenêtre. J'espère ne plus jamais tomber sur une prof tyrannique comme Pétula Fattal !

Ce soir, dès que maman est rentrée du yoga, on est passés à table. Caroline est allée chercher la bouteille de ketchup dans le frigo et sprouuutch, elle en a copieusement arrosé ses spaghettis. Zoé a déclaré :

– Moissi kèsseup (traduction : moi aussi, du ketchup).

– Non, a répondu maman. Pas besoin de mettre du ketchup sur les spaghettis. Il y a déjà de la sauce tomate.

Zoé s'est mise à crier en battant des pieds :
– Kèsseuuup !
– Pfff, a soupiré moumou en lançant un regard assassin à Caroline. Toi et ton ketchup !

Puis, à mon grand étonnement, elle a capitulé devant les revendications de notre bébé chéri et a garni son assiette de trois petits ronds rouges. Comme Astrid Vermeulen revenait du yoga, elle devait avoir envie de passer une soirée zen.

## Mercredi 8 juin

Eduardo aussi met du *XY*, maintenant et Stanley, lui, a adopté le déodorant *Tonic Man* dont les *Tonic Boys* font la pub à la télé et sur Internet. Bref, ça puait les épices à 20 mètres à la ronde ! Si, plus tard, je repense à cette semaine d'examens de maths, ils seront associés dans mon esprit à cette odeur entêtante qui me donne vaguement mal à la tête.

On a presque complété notre « tour de l'Afrique » !
Aujourd'hui, madame Robinson nous a parlé du Soudan. Demain, elle nous « emmènera » en Libye et vendredi, au Maroc. Quel continent magnifique ! C'est décidé, un jour,

je voyagerai en Afrique (peut-être avec oncle Alex, on ne sait jamais).

Cet après-midi, madame Robinson écrivait un poème au tableau quand son chien a sauté sur elle avec ses grosses papattes. Se retournant, elle l'a serré dans ses bras en lui disant: «Mon bon Balzac! Moi aussi, je t'aime!» Trop mignon!

– Pas encore un devoir, a soupiré Catherine Frontenac.

Elle avait raison. Dans notre agenda, il ne reste plus une ligne en date d'aujourd'hui tellement il est rempli.

– Pour commencer votre 1re secondaire du bon pied, vous devez être prêts, lui a répondu madame Robinson. Je suis consciente que je vous demande de travailler très fort, mais vous êtes une classe forte. Vous êtes capables de relever mes défis. Et puis, ne vous plaignez pas, la semaine prochaine, nous serons en Gaspésie!

## Jeudi 9 juin

– Pour le dernier cours du 23 juin, je vous concocte un fabuleux circuit, nous a dévoilé Kim Duval. Mais aujourd'hui, que voulez-vous faire? Des pyramides humaines (☹)? Jouer au basketball (☹)?

Apparemment, je n'étais pas la seule à ne pas avoir gardé un bon souvenir de la séance de pyramides humaines, car Jade et Hugo ont été les seuls à voter pour. Du coup, je me suis retrouvée dans l'équipe de basket d'Africa (c'était tellement gentil à elle de m'avoir choisie ; pour une fois, je ne restais pas la dernière sur le carreau…). Étant l'élément faible d'une équipe gagnante (qui comprenait aussi Gigi Foster, Jonathan, Stanley, Marie-Ève, Jade, Bohumil, les deux Catherine…), j'ai fait un effort particulier afin de ne pas nuire à mes coéquipiers qui, pour la dernière partie à l'école des Érables, se donnaient à fond.

À la fin du match, Bohu m'a fait une passe. J'ai visé le panier et la balle est tombée dedans. Incroyable ! Je n'ai pu m'empêcher de m'exclamer : « Yééé ! » tellement j'étais fière ! Au moins, j'aurai marqué un panier en 6e année ! C'est alors que je me suis étonnée du silence autour de moi. Qui n'a pas duré… mais, au lieu de me féliciter, mon équipe s'est énervée, à commencer par JJF.

*Depuis quand marque-t-on des paniers pour les adversaires ?!*

*Tu veux nous faire perdre ou quoi ?!*

*Vous comprenez pourquoi je n'aime pas me retrouver dans la même équipe qu'Alice ?!*

*Hé, Alice, reviens sur terre, nous, c'est dans l'autre panier qu'on doit marquer.*

Gloups. Dans le feu de l'action, j'ai oublié qu'on avait changé de côté...

Madame Robinson nous a rappelé que demain sera la dernière journée de Balzac en classe. Pendant qu'elle sera en Gaspésie avec nous, son mari qui a pris congé restera à la maison avec le labrador toujours en convalescence. Et la semaine du 20 juin, non seulement Balzac devrait être guéri, mais en plus, notre prof trouve qu'il y aura trop d'effervescence pour l'emmener à l'école. L'idée que je ne reverrai plus Balzac me remplit de tristesse.

*Je trouve ça vraiment difficile de quitter les gens qu'on aime, cher journal. Mais au moins Balzac, lui, n'est pas mort. Et puis, quel formidable semestre nous avons passé en sa compagnie ! Je m'en souviendrai toute ma vie. 2e point positif : Balzac sera bientôt débarrassé de ce collier élisabéthain qu'il hait tant.*

Mes amis et moi, on aurait voulu lui offrir un cadeau gourmand, mais comme madame Robinson ne lui donne que de la nourriture qu'elle achète chez la vétérinaire, on n'a pas osé lui acheter des biscuits pour chien. Du coup, il recevra demain de notre part à tous un nouveau frisbee, car le sien est usé. C'est Jade qui s'est chargée d'aller l'acheter.

## Vendredi 10 juin

Dernier jour d'examen : ce matin, en plus des deux petites épreuves en maths, on a eu une résolution de problème super longue et difficile, mais je crois que je m'en suis sortie pas trop mal. Je croise les doigts. En attendant les résultats, je suis quand même soulagée : fini les exams !

À la place de la dictée, madame Robinson nous a demandé d'écrire sur Balzac : au choix, un poème ou une anecdote sur la relation que chacun d'entre nous a entretenue avec son chien. Elle gardera nos textes en souvenir.

En se penchant pour caresser le labrador, Catherine Frontenac a soupiré :
– Je préfère les chats aux chiens mais, quand même, je vais m'ennuyer du beau blond de la classe !
– Ex-æquo avec Bohumil, a ajouté Africa.
– T'es tellement gentille, Afri ! a fait ce dernier en rougissant.

Après la récré et en attendant que tout le monde soit rentré en classe, je suis allée câliner le chien qui s'était couché sur sa couverture. Emma, Jade, Hugo et Eduardo nous ont rejoints. Tandis que je caressais la patte avant valide du labrador, j'ai confié à mes amis :
– Les coussinets des chiens, je trouve ça si mignon !
– Moi aussi, a avoué Emma. Et ça sent tellement bon. Surtout ceux de Chipolata qui embaument le pop-corn.

Elle nous surprendra toujours, notre amie Emma ! Bref, on a ri de bon cœur. Se mettant à genoux, Eduardo s'est mis à renifler la papatte.

– Hein, ceux de Balzac aussi sentent le pop-corn !

Du coup, Jade et moi on s'est mises à quatre pattes (c'est le cas de le dire !) pour sniffer les coussinets du labrador ! Celui-ci avait l'air de se demander ce qu'on faisait. Mais il est d'une patience d'ange.

*Imagine, cher journal, une eau de toilette qui, au lieu de sentir la rose, le lilas ou le jasmin, embaumerait le coussinet canin ! Hihihi... Je l'offrirais à Emma Shapiro qui n'hésiterait pas un instant à la porter.*

En milieu d'après-midi, madame Robinson nous a proposé de nous asseoir au fond de la classe.

– Je suis curieuse de savoir ce que vous aimeriez faire plus tard. Si vous avez déjà des id…

– Pilote de formule 1 ! l'a coupée Jonathan.

Décidément, des rêves de métiers, ce n'est pas ça qui lui manque, à notre ouragan ! On dirait que chaque semaine, il en a un autre en tête.

Eduardo : vétérinaire.

Hugo : agriculteur (dans une ferme biologique).

Catherine P : diététiste (tiens, comme ma mère !).

– Je t'aurais bien vue comme pâtissière ou comme chocolatière, ai-je fait. Je serais devenue une de tes fidèles clientes.

– C'est gentil, Alice, mais tu n'auras pas besoin d'acheter mes gâteaux. Je t'inviterai à venir en manger chez moi.

Catherine F : graphiste ou bédéiste.

Jade : architecte. Ou vétérinaire.

Africa : politicienne.

– Tu veux devenir première ministre du Québec ?

– Peut-être, on ne sait jamais. Mais ce qui est certain, c'est que je voudrais changer les choses dans la société. Pour plus de justice et une meilleure qualité de vie pour tous.

– Je voterai pour toi ! l'a assurée CF.

– Moi aussi, a déclaré madame Robinson.


Marie-Ève : cinéaste. Ou ostéopathe pour les chevaux.

Emma : boulangère.

Patrick : avocat.

– J'aurais juré que tu deviendrais humoriste ! a commenté Africa.

– Ou clown dans un hôpital, pour faire rire les enfants malades, a dit pour sa part Kelly-Ann.

– Clown et humoriste, je le suis déjà ! a répondu sans modestie aucune Patrick Maximilien Stanislas Drolet.

Violette : libraire, comme ses parents.

Kelly-Ann : enseignante à l'école des Érables !

Bohumil : scientifique, pour étudier les fonds marins.

Stanley : joueur de hockey dans la Ligue nationale.

Gigi Foster : pilote d'avion comme son père.

Audrey : blogueuse dans le domaine de la mode.

Moi, j'aime plutôt la géographie. Mais à brûle-pourpoint, comme ça, même si j'avais bien conscience de ne pas être originale, j'ai dit : « Peut-être vétérinaire », car j'adore aussi les animaux.

Tout en caressant son chien couché à ses pieds, madame Robinson a constaté avec plaisir que ce cher Balzac avait suscité des vocations dans la classe.
– Mais toi qui écris si facilement, Alice, a-t-elle ajouté, je te verrais bien journaliste, professeure de littérature ou auteure. L'important, dans quelques années, lorsque viendra le moment de choisir votre voie professionnelle, sera de vous demander : « Qu'est-ce que j'aimerais vraiment faire plus tard ? » Optez pour quelque chose qui vous passionne ! Afin que le lundi, comme moi, vous vous réveilliez tout heureux d'avoir une belle semaine de travail devant vous.

– Bien, a-t-elle fait en se levant, rangez vos affaires ; on ne revient pas en classe avant dix jours. Je vous souhaite un bon samedi. Et dimanche matin, soyez à l'heure car l'autobus n'attendra pas.

En expliquant ça, elle a regardé Emma qui, même si la prof ne lui avait rien dit, a déclaré :
– Ne vous en faites pas, madame. Je n'ai aucune envie que vous partiez en Gaspésie sans moi !
– Il vous reste encore quelques minutes avant que la cloche ne sonne pour saluer Balzac. Allez-y un à la fois, s'il vous plaît, sinon il ne saura plus où donner de la tête.
– Balzac est le membre VIP de notre classe ! a affirmé Patrick.

– Ah oui ?! a dit la prof. C'est gentil de dire ça, Patrick.
Tout le monde sait ce que signifie VIP ?

– Oui, a répondu Violette. *Very Important Person.*

– Pour les humains, tu as raison, a approuvé Patrick, mais
pour les chiens, VIP sont les initiales de *Very Important
Pitou.*

Il a fait un gros câlin au pitou en question. Ce dernier lui
a léché la joue. Pour détourner l'attention de son émotion,
Pat a fait, en riant à travers ses larmes :

– Ouache, Balzac, j'ai pris ma douche ce matin !

Dire que Patrick Drolet n'aimait pas le labrador lorsque
celui-ci a atterri dans notre classe !

Quand ça a été mon tour, je me suis
penchée vers Balzac. Mes yeux disaient :
« Je t'aime. » Lui s'est redressé, a posé
sa truffe fraîche et humide sur ma joue et s'est rassis. Il
m'avait donné un bisou ! Oh, quel amour ! Merci, Balzac !
Pour ne pas pleurer, j'ai vite cédé ma place à Kelly-Ann et
j'ai pensé fort fort fort à notre voyage en Gaspésie. Vivement dimanche !

Comme d'habitude après les journées que Balzac passait
avec nous en classe, Cannelle m'a longuement flairée. Je
lui ai annoncé :

– C'est la dernière fois que je reviens de l'école en sentant
le chien.

Et je lui ai fait un beau câlin.

Photo prise en mars
par Afri
(car ce mois-ci,
Eduardo
ne porte plus
de col roulé !)

Mon cher
Balzac,
je ne t'oublierai
jamais !

## Samedi 11 juin

J'ai ressorti la feuille de préparation pour la semaine en Gaspésie.

⁎ Prévoir un lunch et de nombreuses collations + 2 litres d'eau.

⁎ Interdiction de iPod et de téléphone.

⁎ Apporter une paire de lunettes de soleil, du produit contre les insectes, etc., etc.

Bon, je te laisse, cher journal, et à demain, car tu seras du voyage. ☺

## Dimanche 12 juin

Aux premières lueurs du jour, mon père m'a tirée de mon sommeil. Caro, qui dormait à poings fermés, n'a pas bronché. Après avoir ouvert un œil, Cannelle s'est levée avec autant d'agilité que si elle avait 112 ans. Elle a étiiiiiiiiiiiiiiiiiiiiiiré sa patte arrière droite, puis a bâââââââillé. L'air résigné, elle m'a suivie dans la salle de bain. En ôtant mon pyjama, je me sentais comme une grenouille en plein mois de janvier… brrr… j'ai frissonné de froid et de fatigue.

Dans la cuisine flottait une réconfortante odeur de café et de baguette grillée. Mais je n'avais pas faim. Juste une envie, aller me recoucher.

– Pas de problème, Alice, a dit maman (pour mon manque d'appétit). Je te prépare un lait russe, si tu veux.

Elle a versé un peu de café dans un bol de lait chaud sucré. J'y ai trempé mes lèvres. Mmmm, c'était bon et ça m'a réchauffée de l'intérieur. Ma mère a sorti ma boîte à lunch du frigo. Hey, elle pesait une tonne! Elle devait être remplie à craquer de bonnes choses (santé… ☺) destinées à me sustenter jusqu'à notre arrivée au gîte. Merci, moumou!

C'est elle qui m'a conduite à l'école. Dans l'auto, les recommandations (sur la crème solaire, entre autres) pleuvaient, mais moi, je bâillais à m'en décrocher la mâchoire et je n'ai pas retenu grand-chose… En arrivant, il y avait déjà foule devant deux grands autobus. J'ai repéré Emma (pour une fois, elle n'était pas en retard, fiouuu!), Kelly-Ann, Violette, Bohumil et Jonathan. Balayant la fatigue, l'excitation m'est tombée dessus. Nous, les élèves, on s'interpellait joyeusement, comme si on ne s'était pas vus depuis des lunes. On en avait parlé pendant des mois, de ce voyage scolaire dans la lointaine et mythique Gaspésie, et voilà qu'aujourd'hui, c'était le jour J! Avec, en prime, le soleil qui illuminait ce p'tit matin pimpant. Je me suis pincée, mais non, je ne rêvais pas.

Marie-Ève est arrivée au moment où madame Robinson nous a fait monter dans le premier autobus (celui des 6ᵉ). Ma *best* et moi, on s'est installées presque au fond, mais pas tout à fait, car on n'avait pas envie de se retrouver à côté des toilettes. Quels sièges confortables! Rien à voir avec ceux des autobus scolaires. Par la fenêtre, j'ai aperçu monsieur Gauthier qui portait son tee-shirt 100 % COOL! Décidément, ce tee-shirt bleu que je lui avais offert lors de notre échange de cadeaux en classe, il y a un an et demi, était inusable. Le prof de 5e est monté avec madame Hamel et leurs classes respectives dans l'autre autobus.

Quelques minutes plus tard, madame Pescador, debout à l'avant du véhicule, nous a rappelé que nous avions une longue route à faire avant d'arriver à destination.
– Combien de kilomètres? s'est informé Bohumil.
– La municipalité de Cascapédia-Saint-Jules se trouve à 820 km d'ici. Notre arrivée au centre *L'espace nature* est prévue vers 17 h. Le trajet sera entrecoupé par trois haltes: la première à Montmagny, après Québec, pour manger notre lunch. Ensuite, nous nous dégourdirons les jambes sur la plage de Saint-Fabien et, enfin, nous ferons un dernier arrêt à Sainte-Anne-des-Monts, avant de nous engager sur la route transgaspésienne.
La prof des 6e A s'est assise à côté de la nôtre, le moteur de l'autobus s'est mis à ronronner et nous voilà partis.

## Cap sur la Gaspésie!

On a papoté, au début avec animation, puis moins fort au fur et à mesure que certains s'endormaient. Marie m'a parlé de la grossesse de sa belle-mère.

– Nina est moins fatiguée qu'avant. Demain, elle sera à 16 semaines de grossesse et c'est le 27 juin qu'elle passe son échographie. Elle et papa ont accepté que je les accompagne, ce jour-là. J'ai tellement hâte de savoir si c'est une fille ou un garçon !

Je la comprends. Encore que, vu notre expérience familiale avec Zouzou, je me méfie des prédictions des échographistes…

En arrivant au pont Victoria, je me suis mise à cogner des clous. Tandis que Marie-Ève continuait à me parler, je luttais si fort pour garder mes yeux ouverts que j'en louchais presque. Très vite, j'ai glissé à mon tour dans un irrésistible sommeil.

Lorsque j'ai émergé de mon dodo, ma meilleure amie dormait la tête appuyée sur mon épaule. Je n'ai osé ni bouger ni m'adresser à Afri et Kelly-Ann qui bavardaient devant moi à mi-voix. Mais deux minutes plus tard, madame Robinson a réveillé tout le monde en annonçant que nous arrivions à Montmagny. Si ce premier arrêt avait pour cadre une banale halte routière, avec le deuxième, vers 13 h, par contre, nous étions carrément dépaysés. Quelle belle plage sauvage, avec des rochers, des amas d'algues et la mer ! Quelle bouffée d'air frais ! Tout à coup, je me suis sentie en vacances. Je serais d'ailleurs bien restée plus longtemps à me promener pieds nus sur la plage avec mes amis, mais au bout d'une demi-heure, monsieur Gauthier a rappelé d'une voix de stentor ceux qui s'étaient aventurés

un peu plus loin, comme un berger rassemblant ses mou-
tons. Et puis, la Gaspésie nous attendait.

Dans l'autobus, j'ai discrètement sorti de mon sac un
stylo bille ainsi que mon cahier et me suis mise à te relater
le début de la journée, mon journal voyageur. Se retournant, Kelly-Ann m'a demandé :
– Qu'est-ce que tu écris, Alice ?
– Mon journal intime.
– Moi aussi, j'ai emporté le mien.
Bohumil se promenait dans l'allée centrale avec une
carte du Québec. Il montrait notre itinéraire à ceux et
celles que ça intéressait (dont moi, alias Miss Géo !).

 Se retournant à son tour vers nous d'un air coquin,
Patrick a dit :
– Je me demande si Kim et Julien vont dormir
dans la même chambre.
– Moi, ça m'étonnerait ! a répondu Marie-Ève. Ce sont
des profs, quand même.
– D'accord ! a fait Stanley. Mais ils sont adultes et amou-
reux. Alors, ce serait quoi le problème ?
– Voyons donc, Stan, la classe verte en Gaspésie n'est pas
un voyage de noces !
Kim Duval, qui s'était levée, s'est dirigée vers nous.
– J'ai entendu mon nom. Vous aviez quelque chose à me
demander ?
– Patrick voudrait savoir si vous allez partager la même
chambre que monsieur Gauthier, a déclaré Audrey.

J'étais à la fois stupéfaite et hyper gênée qu'elle ose aborder un sujet aussi intime avec la principale intéressée. Cependant, au lieu de s'en offusquer, Kim a pris ça à la rigolade.

– Tu es bien curieux, Patrick! Mais comme nous allons passer la semaine ensemble, il n'y a pas de secret: monsieur Gauthier logera dans l'aile des garçons et moi, dans celle des filles.

Lorsque madame Robinson nous a signalé qu'elle avait aperçu une pancarte *Bienvenue en Gaspésie!*, l'excitation et le niveau sonore dans l'autobus ont soudain grimpé d'un cran. Jonathan qui, jusque-là, s'était montré relativement calme, tenait maintenant difficilement en place. Deux sièges derrière nous, les Catherine riaient à gorge déployée. À l'avant du véhicule, plusieurs élèves de 6ᵉ A se sont mis à chanter *Ambiance à l'africaine* en claquant des mains. Joey s'y est mis, lui aussi. À travers ce brouhaha, Patrick a crié:

– Attention, je dois vomiiir!

– File à la toilette! lui a intimé Éléonore, juste devant lui.

Mais Pat s'est recroquevillé avant d'émettre un bruit horrible. Par chance, ce n'était qu'une de ses blagues pas subtiles.

La route au bord du fleuve avait fait place à une nature sauvage. Madame Robinson nous a signalé que demain matin, nous reviendrions dans les monts Chic-Chocs pour grimper sur le mont Albert, que nous venions de dépasser. Marie-Ève, Kelly-Ann, Africa et moi, on admirait le paysage, avec la ligne des montagnes à gauche et à droite (de mon côté), une large rivière. Lorsqu'il s'est mis à pleuvoir, je me suis mise à bâiller. Le trajet me paraissait interminable… J'avais hâte d'arriver à destination. Regardant par la fenêtre, Marie-Ève était perdue dans ses pensées.

Heureusement, quelques minutes plus tard, le soleil a refait son apparition.

– Wow, c'est vraiment beau, la Gaspésie! s'est exclamée ma voisine.

La rivière avait fait place à des prés avec, en arrière-plan, des collines recouvertes d'une forêt qui semblait impénétrable.

– Regardez, un arc-en-ciel! ai-je signalé à la ronde.

En fait, il s'agissait d'un double arc-en-ciel. C'était la première fois que, mes amies et moi, on apercevait ce phénomène! Toutes ces couleurs splendides m'ont fait penser aux couvertures de tes cahiers, cher journal.

⌦ L'autobus s'est engagé sur un chemin qui menait à une grande bâtisse de plain-pied. Hein, on y était?! Youpi!!! Un moniteur d'une vingtaine d'années est venu nous accueillir : Thomas. Il nous a demandé de laisser nos bagages dans l'entrée du centre *L'espace nature*. Deux animatrices, toutes jeunes elles aussi, Florence et Bernadette, nous ont souhaité à leur tour la bienvenue. On a eu droit à une visite guidée de l'aile centrale du bâtiment qui comprend :

Y la cuisine (qui sentait rudement bon) où un cuisinier s'affairait à préparer notre souper + la salle à manger avec sa baie vitrée donnant sur les collines ;
Y un vaste salon avec trois divans devant un grand foyer ;
Y une salle avec six tables de ping-pong ! Trop cool !
Y les toilettes.

Tout semblait flambant neuf. On nous a expliqué que le centre avait ouvert le 1er mai et que nous étions le 2e groupe à y séjourner. Nous sommes allés chercher nos bagages dans l'entrée. Thomas a conduit monsieur Gauthier et les gars vers les chambres de l'aile gauche du bâtiment, tandis que nous, les filles (y compris mesdames Robinson, Pescador, Hamel et Duval), nous avons suivi Bernadette dans l'aile droite. Les chambres comportaient chacune 2 x 2 lits superposés, une garde-robe, une table et une chaise + une petite salle de bain avec douche, lavabo et toilette. Africa, Kelly-Ann, Jade et Emma sont entrées dans la première chambre. Marie-Ève et moi, on a occupé la seconde avec Éléonore et Violette.

Je déroulais mon sac de couchage sur une des couchettes du haut lorsque Marie-Ève, qui avait pris possession de la couchette du bas, m'a dit :
– Devine qui s'installe dans la chambre d'à côté…
– Eh bien, Jade, Afri…, ai-je commencé à énumérer, ne voyant pas où elle voulait en venir.
– Je parlais de l'autre chambre, a-t-elle précisé en désignant le mur de droite contre lequel se trouvait notre lit.

– Écoute! a fait Marie-Ève d'un ton peu patient.

J'ai tendu l'oreille. Au bout d'un instant, j'ai soupiré:

– Gigi Foster.

Ma *best* et moi, on avait eu la paix pendant le voyage, car JJF, Chloé et Magalie étaient assises à l'avant de l'autobus et s'étaient tenues loin de nous durant les haltes. Mais de savoir que mon ennemie dormirait juste de l'autre côté de la cloison m'a fait un couac au ventre. Et puis zut, je refuse que cette fille gâche mon séjour! C'est décidé: je ne ferai pas attention à elle.

Mais avais-je vraiment bien fait d'apporter avec moi mon journal intime?! Je n'en étais plus si sûre...

Quelques minutes plus tard, répondant à l'appel de madame Pescador, nous avons quitté nos chambres pour nous rendre à la salle à manger. Je me suis arrêtée devant les toilettes.

– Je vous rejoins dans un instant, ai-je dit à mes amies.

J'étais en train de soulager ma vessie lorsqu'on a fait *Toc toc toc* à ma porte.

– Entrez, ai-je répondu automatiquement, avant de réaliser ma bévue.

– Hein, c'est toi, Alice?! Tu es folle ou quoi?

J'ai bredouillé des excuses et une explication sur ma distraction, mais Gigi Foster ne m'écoutait pas.

– Hé, Chloé, a-t-elle lancé, t'as entendu ça? Alice Aubry invite les gens à venir la rejoindre dans sa toilette! Ça, c'est vraiment la meilleure!

– Elle est dégueu, cette fille ! s'est écriée Chloé.

J'ai entendu les pestes s'éloigner, puis deux portes se fermer. Après avoir tiré la chasse, je suis sortie, morte de honte, mais aussi furieuse contre moi-même. Moi qui ne souhaitais pas attirer l'attention de JJF en Gaspésie, c'était mal parti…

– Gigi se fichait encore de ta poire ? a fait Catherine Provencher en me rejoignant au lavabo.

La voix de JJF est sortie d'une des toilettes du fond.

– Toi, Catherine, on ne t'a rien demandé !

– Toi, Gigi, arrête de nous emm…

CP et moi, on a rejoint les autres à l'instant où Florence apportait la soupe aux poireaux et les corbeilles de pain. La suite du menu ? Pâté au saumon + salade. Et comme dessert, une croustade à la rhubarbe avec une boule de crème glacée à la vanille.

Ensuite, j'ai convaincu trois de mes amies (Africa, CF et Emma) d'aller jouer au ping-pong, tandis que les autres préféraient faire un tour dehors.

On s'est approchées d'une table et Petrus s'est joint à nous. Gigi Foster lui a dit :

– Je te préviens, Petrus, si Alice Aubry est aussi « douée » au ping-pong qu'au basket, tu vas mouuurir d'ennui.

– Alice ?! s'est exclamé Petrus. Mais elle a fait des progrès incroyables au ping-pong !

– Hein ?! Comment tu sais ça ?

– Parce que c'est mon éternelle rivale. L'autre jour, elle m'a battu. *Et toc dans les gencives, Gigi !*
– Ça doit vouloir dire que t'es encore plus nul qu'elle.

Au lieu de répliquer, Petrus s'est tourné vers nous, les filles, et a fait une mimique comme quoi JJF était pas rapport.

On a commencé par disputer des matches en double. JJF, heureusement, se trouvait à une autre table. Puis, parmi les huit élèves qui voulaient continuer à jouer, madame Duval a proposé des matches en simple et a désigné les quatre équipes. De l'autre côté de ma table s'est retrouvée mon implacable ennemie !
– Ha ha, apprête-toi à te faire battre à plate couture ! m'a lancé celle-ci.

Derrière son humour, il y avait du mépris. Avant, ça m'aurait fait perdre tous mes moyens. Mais j'ai appris à ne plus me laisser intimider. Alors, c'est avec une énergie décuplée que j'ai fait mon premier service. Surprise, JJF n'a pas réussi à rattraper la balle. 1-0. Pas de quartier ! Pendant le match, une de mes balles a touché l'extrême coin de la table avant de retomber. Dépitée, Gigi Foster a lâché :
– Tu as une de ces veines !

Mais lorsque c'est moi qui ai raté la balle, elle s'est écriée, ravie :
– Quelle précision !

On s'est défendues comme des lionnes. Et j'ai remporté le match de justesse !

JJF a réclamé une revanche, mais moi, j'ai déclaré forfait. En effet, j'étais à bout de souffle et dégoulinante de sueur, mais surtout, j'en avais assez de sa méchanceté.

– Tu te débines…

Sans rétorquer quoi que ce soit (ça ne sert à rien), j'ai rangé ma raquette et je suis allée retrouver mes amies dehors. Assises sur le muret de la terrasse, elles discutaient avec des filles de 6ᵉ A.

– On est vraiment complices, ma sœur et moi, a dit Billie, mais ça ne nous empêche pas de nous chamailler de temps à autre. Parfois, Brianne m'énerve !

– Et quelquefois, Billie m'horripile ! a renchéri sa jumelle. Mais on ne pourrait pas se passer l'une de l'autre.

– Comme Africa et moi, a fait Kelly-Ann.

Khadija a émis un commentaire.

– Ma mère, qui est psychologue, dit que c'est normal. Même les gens qui s'adorent ne sont pas tout le temps d'accord.

À 20 h, tandis qu'Éléonore se préparait la première à passer sous la douche, j'ai pris mon journal intime dans sa cachette et, sur la table de notre chambre, j'y ai relaté la fin de la journée. Après Léo et Marie, voici Violette qui sort de la salle de bain. À mon tour. La journée de demain, cher journal, nous la passerons au mont Albert. Je te laisserai sagement dans la chambre (l'esprit tranquille, puisque non seulement je te range à l'instant dans ta cachette, mais également parce que JJF et cie seront de l'excursion, elles aussi). À +.

*Non, cher journal, il n'y a pas de gars dans notre chambre ! Léo = Éléonore*

125

# Lundi 13 juin

Coucou, cher journal, il est 20 h 45 et me revoici, heureuse et fourbue. Ce matin, nous sommes montés dans l'autobus. Après avoir repris la même belle route transgaspésienne par laquelle nous étions venus hier, nous sommes arrivés au pied du mont Albert. Les moniteurs Thomas et Florence, qui étaient de la partie, ont distribué à chacun d'entre nous un lunch + des collations. Nous les avons rangés dans notre sac à dos avant d'aller boire et remplir notre gourde d'eau à la fontaine. Monsieur Gauthier a donné le signal du départ. On a traversé un pont couvert avant de nous enfoncer dans la forêt.

Le chemin grimpait ferme. Lorsque nous sommes arrivés au Belvédère de la Saillie (un point de vue magnifique avec la forêt à perte de vue et des montagnes qui barraient l'horizon), nous avons fait une halte bien méritée. J'ai engouffré une pomme, une barre tendre et quelques dattes. Audrey a demandé si le sommet était encore loin.
– Oui, a répondu monsieur Gauthier avant de stimuler ses troupes. Il est temps de repartir, les amis!

Quelques minutes plus tard, il y avait un embouteillage sur le sentier. Monsieur G et une dizaine d'élèves étaient penchés sur… (je me suis frayé un chemin entre deux élèves de 5e pour voir)… un chapelet de crottes!

– Ce sont des crottes d'orignal, a affirmé le prof, l'air aussi émerveillé que s'il avait découvert un trésor. Elles sont toutes fraîches. Le roi des forêts a dû traverser le sentier il y a moins d'une heure.

– On dirait des œufs de dinosaures, a déclaré Jonathan.

– On va voir des orignaux ? s'est enquis Hugo.

– Un randonneur a davantage de chances d'apercevoir un orignal ou un caribou s'il est seul. Car lorsqu'on marche en groupe, les animaux sauvages nous entendent et restent loin du sentier. Cependant, ouvrez l'œil, on ne sait jamais.

Nous sommes repartis en silence, pour avoir une chance de croiser ces grands habitants de la forêt, mais ça n'a pas duré longtemps. Les 5ᵉ A se sont mis à chanter pour se donner du courage. Heureusement, cette marche se faisait sous le couvert des arbres, sinon on aurait cuit sous le soleil ! Déjà, il faisait si chaud… Joey a trouvé un truc radical pour se rafraîchir. En arrivant à la hauteur d'un torrent qu'il nous fallait traverser, il s'est accroupi, a rempli d'eau son chapeau de cow-boy et se l'est enfoncé sur la tête. Brrrrrrrr !!!

Apercevant madame Pescador, CP a demandé :

– Et si on cassait la croûte ?

– À midi, le peloton de tête s'arrêtera et nous attendra pour la pause-dîner.

C'est ainsi que, quelques minutes plus tard, nous avons rejoint les premiers arrivés.

– C'est trop cool d'être ici au lieu de périr d'ennui au cours de Fatalité ! s'est exclamée Billie qui, assise avec nous, déballait son sandwich.

– Tu l'as dit ! lui ai-je répondu en levant les yeux au ciel.

– As-tu entendu ce qu'elle m'a fait, le mois dernier ?

– Non. Raconte.

– Je suis bonne en anglais. Au moins aussi bonne que ma sœur. Pourtant, lors des contrôles, je me retrouvais toujours avec de moins bonnes notes que Brianne. Il y a deux semaines, la prof nous a donné un contrôle où il fallait cocher si oui ou non les verbes irréguliers étaient exacts. Ça m'a donné une idée et j'ai passé un message à Brianne qui était assise à côté de moi. Avec son accord, donc, et discrètement, pour que madame Fattal ne me surprenne pas, j'ai copié toutes les réponses de ma sœur. Une semaine plus tard, lorsque Fatalité a distribué nos contrôles, j'avais 7 sur 10 et Brianne 9.

– Vous aviez les mêmes réponses et elle t'a mis deux points de moins ?! Tu n'es pas allée te plaindre ? me suis-je écriée sans réaliser ma distraction.

– Impossible, Alice, je n'allais quand même pas avouer à madame Fattal que j'avais copié ! Mais au moins, même si ça ne me servait à rien, je détenais la preuve qu'elle est injuste avec moi.

– Moi aussi, elle me déteste, ai-je confié à Billie.

– Si tu veux mon avis, Alice, madame Fattal déteste au moins la moitié de ses élèves.

– Tu raison. Quelle chance que ce calvaire soit fini !

– Nous, il nous reste encore un cours lundi de la semaine prochaine. *I will survive !*

Une fois rassasiés, on est repartis à l'assaut du mont Albert. Cette fois, mes amies et moi, nous étions parmi les premiers afin de profiter de la présence de monsieur Gauthier qui menait la marche. Au détour du sentier, quelque chose de la même couleur que les roches a fait un saut et moi aussi ça m'a saisie. Le volatile surpris s'est envolé.
– Une perdrix ! a fait le prof, qui avait eu le temps de l'apercevoir.

Puis, quelques minutes plus tard, alors qu'on s'arrêtait, pour se désaltérer, Jade a désigné le sommet d'un arbre.
– Regardez ce truc, monsieur, c'est un nid d'écureuil ?
– Non, il s'agit d'un porc-épic qui fait sa sieste.

Trop *cute* ! On est restés deux minutes à observer la grosse boule ébouriffée. On chuchotait pour ne pas réveiller le porc-épic.

J'avais chaud, j'avais soif, j'étais affamée et fatiguée. Mais l'aventure en valait la peine ! Dire qu'à cette heure-ci, ma sœur devait être assise à son pupitre… Le sentier a soudain émergé de la forêt. Il a continué de grimper ferme parmi des petits arbustes, des herbes et du lichen (une végétation de toundra arctique, d'après madame Robinson). Wow, la nature sauvage était magnifique ! Durant cette dernière demi-heure, Marie-Ève et moi, on était tellement vidées qu'on ne parlait plus.

Enfin, nous sommes arrivés au sommet. Le panorama était à couper le souffle ! Monsieur Gauthier nous a montré le mont Jacques-Cartier, la plus haute montagne du parc national de la Gaspésie. Comme le petit refuge et la terrasse étaient bondés, Marie, Afri, Kelly et moi, on s'est assises sur un rocher. On a pigé allègrement dans nos sacs de collation, puis je me suis étendue par terre et j'ai fermé les yeux.

La descente m'a paru interminable. À la fin, j'étais littéralement affamée et assoiffée, car il ne me restait plus une goutte d'eau dans ma gourde ni la moindre collation. Bref, c'est un véritable zombi avec des jambes aussi raides que des bâtons qui a fini par atteindre le pont traversant la rivière Sainte-Anne. À mes côtés, Marie-Ève boitait. La pauvre souffrait le martyre à cause d'une ampoule au talon. Un attroupement était penché sur la rambarde du pont. Mesdames Hamel et Pescador ainsi qu'une vingtaine d'élèves regardaient au loin. Oh, une mère orignal et son petit s'abreuvaient, les pattes dans l'eau de la rivière !

On a pris d'assaut la boutique du centre d'accueil du parc. J'ai acheté un jus, un paquet de chips et un méga *Toblerone*. Dans l'autobus, nous avons partagé nos collations. Thomas nous a aussi distribué un muffin, du fromage et une pomme. Il a rempli nos gourdes d'eau. Une

*Si tu n'avais pas compris, cher journal, le zombi, c'était moi !*

fois rafraîchie, rassasiée et bercée par le ronronnement du moteur de l'autobus qui avait repris la route, je me suis dit que j'avais passé une journée magnifique. Pour nous qui vivons à Montréal, c'était vraiment dépaysant ! Malgré notre fatigue, le retour n'a pas été de tout repos, car Jonathan s'est montré particulièrement exubérant. À madame Robinson qui l'interrogeait, il a avoué qu'avant de remonter dans l'autobus, il avait bu une boisson énergisante. C'est le stupide Antoine Gaudet qui la lui avait donnée. Celle-ci a provoqué une véritable déflagration d'énergie…

De retour au bercail juste à temps pour le souper. Ensuite, tandis que mes amies se succédaient dans notre salle de bain, je t'ai raconté notre excursion, cher journal. Puis on a frappé à la porte. C'était Africa en pyjama.
– Si vous voulez voir un spectacle fabuleux, nous a-t-elle dit, éteignez la lumière et regardez par la fenêtre.
– Qu'est-ce qu'il y a ?! a fait Marie, curieuse.
– Des étoiles. Je n'en ai jamais vu autant de ma vie ! Bye, les filles ! Faites de doux rêves.

Merci, Afri !

Toi aussi, fais de beaux rêves.

Bonne nuit !

À demain, Africa.

Bye !

Éléonore a éteint la lumière et elle, Marie-Ève et moi, on s'est collées contre la fenêtre. Wow ! J'ai déclaré à mes amies :

131

– Dehors, ça doit être encore plus beau. Quelqu'un a envie de m'accompagner ?

– C'est tentant, Alice, mais ce sera pour une autre fois, a répondu Marie en se laissant retomber sur sa couchette. Car moi, j'ai plus la force de bouger d'ici.

Éléonore non plus. Quant à Violette, elle se trouvait toujours dans la salle de bain.

Deux minutes plus tard, de la grande terrasse, je contemplais le ciel criblé d'étoiles. Africa avait raison : quel spectacle grandiose ! J'ai reconnu la Grande Ourse, ce qui m'a fait penser à Karim. J'aurais tant aimé qu'il soit à mes côtés. (Soupir.) Oh, j'ai une idée. Si, en me couchant, je pense à mon amoureux, je rêverai peut-être de lui cette nuit ! *Je t'aime, Karim !*

Puis, repérant une autre étoile très brillante, j'ai murmuré :

– Bonsoir, madame Baldini. Vous me manquez toujours. Moi, je me trouve à presque 1 000 km de Montréal, mais ça ne m'empêche pas de penser à vous. La Gaspésie, c'est encore plus beau que ce que j'avais imaginé. Vous aviez raison : la vie est belle !

Les étoiles sont devenues troubles car, sous le coup de l'émotion, mes yeux s'étaient remplis de larmes.

– Tu parles toute seule, maintenant ?! a fait quelqu'un derrière moi.

Gigi Foster. **GRRRRRRRRRR!!!!** Sans la regarder, je me suis précipitée vers le bâtiment. Non sans avoir entendu une de ses piques ironiques.

– Oh, le pauvre bébé qui vient pleurer dehors en cachette parce que son papa et sa maman lui manquent…

Ça m'a fait bondir. Faisant volte-face, j'ai crié :

– Détrompe-toi, Gigi, je ne pensais pas à mes parents. L'été dernier, j'ai passé trois semaines sans eux et j'ai adoré ça !

C'est alors que Chloé (qu'avec l'obscurité + mes yeux humides, je n'avais pas vue) s'est avancée. Elle qui n'est jamais en reste question provocation s'est adressée à Gigi :

– Moi, je parie plutôt qu'Alice est malade de jalousie.

– Comment ça ?! me suis-je étouffée.

– Tu n'as pas remarqué comme Marie-Ève s'entend à merveille avec Éléonore ? À mon avis, tu es en train de perdre ta BFF.

J'ai failli répondre de nouveau, mais à quoi bon me défendre contre ces insinuations perfides qui ne visent qu'à me blesser et à me rabaisser ? Serrant les poings, je suis rentrée. Cher journal, j'ai beau chérir la paix, je déteste Gigi Foster de tout mon cœur. Pourquoi cette fille toxique cherche-t-elle toujours à me pourrir l'existence ?

## Mardi 14 juin

Je dois l'avouer, j'ai oublié de penser à Karim au moment de me coucher. Il faut dire qu'à peine dans mon lit, j'ai sombré dans un profond sommeil. Et je n'ai pas rêvé de lui.

Nous venions de descendre de l'autobus, en fin d'après-midi, lorsque nous avons croisé Bernadette qui transportait une brouette pleine de bûches. Elle nous a expliqué qu'il y aurait un grand feu, ce soir. Trop cool! En fait, je n'ai pas le temps de t'écrire, cher journal, car nous disposons seulement d'un quart d'heure avant de devoir aller à la salle à manger. La salle de bain se libère: je vais me rafraîchir le visage, me laver les aisselles et me remettre du déodorant avant d'aller rejoindre Marie-Ève, Éléonore, Violette et nos voisines (de la chambre d'Afri, pas de celle de JJF!). J'ai une faim de loup! Ensuite, ce sera la soirée de magie que nous a préparée monsieur Gauthier.

### De retour après le spectacle

Lorsqu'on est sortis, après le souper, le soleil se couchait et le fond de l'air devenait frisquet. Heureusement, j'avais enfilé mon polar sur mon chandail en laine à col roulé et mon écharpe. Mes amies et moi, on s'est approchées du grand feu qui ronronnait allègrement. Les flammes s'élevaient dans un ciel magnifique, orange et bleu pâle. Les nuages, eux, étaient violets, avec un ventre cuivré comme les cheveux d'Emma. Cette vue à couper le souffle inaugurait bien notre soirée magique.

De nombreux élèves de 5$^e$ année occupaient déjà les trois troncs d'arbre coupés en deux faisant office de bancs, autour du foyer.

En arrivant, les profs nous ont demandé à tous (même à ceux qui avaient trouvé place sur un banc) de nous asseoir à terre. Il fallait laisser un espace de deux mètres devant le feu pour monsieur Gauthier. Marie-Ève a chuchoté à mon oreille qu'elle allait se mettre derrière avec Simon. Je lui ai fait un clin d'œil complice. J'imagine que tous les deux désiraient peut-être se tenir discrètement par la main pendant le spectacle. Moi, je me suis installée à la première rangée entre Kelly-Ann et Violette. Nous allions être aux premières loges pour assister aux tours de magie.

Quasiment hypnotisée par les flammes qui dansaient devant moi, je ressentais un incroyable bonheur. Quel privilège c'était de vivre cette semaine gaspésienne avec ma classe ! Dire qu'on était mardi et que, ce matin, nous avions vécu une belle aventure de découverte scientifique au parc national de Miguasha, en bordure de mer. La visite guidée du musée nous a permis de voir des fossiles de plantes, d'invertébrés et de poissons datant d'il y a 380 millions d'années ! Parmi eux, Elpi, un fossile de poisson qui avait à peu près ma taille. Ensuite, nous avons fait une balade le long de la falaise dont les couches rocheuses renferment l'un des plus importants patrimoines de fossiles de toute la planète.

Au retour, on avait disposé d'une heure de temps libre sur une autre plage de galets en bordure de la rivière Cascapédia. On a fait du hip-hop avec Africa, puis Patrick nous a fait rire aux larmes avec son imitation de madame

Fattal. Ensuite, mes amies et moi, on s'est promenées le long de l'eau, Emma s'est penchée pour ramasser un caillou.

– Le galet parfait pour gagner un concours de ricochet, a-t-elle commenté.

D'un petit coup sec du poignet, elle l'a lancé vers la rivière. Il a rebondi cinq fois avant de disparaître sous l'eau. Ainsi, on s'est toutes mises à la recherche de galets les plus plats possible. Lorsque madame Duval et monsieur Gauthier ont vu que nous faisions des ricochets, ils sont venus se joindre à nous.

– Les galets que je vous distribuais l'an dernier en classe provenaient de la rivière Cascapédia, nous a rappelé notre ancien prof de 5ᵉ B. Pas de cette plage, mais d'un autre endroit à une vingtaine de kilomètres d'ici.

Je t'annonce que je deviens bonne en ricochet, cher journal, mais la championne tous azimuts, c'est Emma ! Et monsieur G (G pour Gaspésie, mais aussi pour Galet).

– Hé, tu rêves, Alice ? m'a demandé doucement Kelly-Ann, me ramenant à la réalité.

Julien Gauthier installait le matériel dont il avait besoin sur une grande caisse en bois retournée, devant le feu. J'étais intriguée par la volumineuse couverture matelassée. Puis, il a déclaré que le spectacle allait commencer.

★ Le prestidigitateur a réquisitionné un volontaire et, avant qu'il ait eu fini sa phrase, Jonathan l'avait rejoint en criant : « Moi ! » Après lui avoir passé un crayon et un carnet à spirale, monsieur Gauthier a dit à notre ouragan d'écrire le nom d'une personne qui lui est chère.

– Comment ça, quelqu'un qui coûte de l'argent ?! a demandé Joey, apparemment trop excité pour parvenir à se concentrer.

Monsieur Gauthier a reformulé sa demande autrement.

– Note sur le carnet le nom de quelqu'un que tu aimes beaucoup. Ensuite, montre discrètement ce nom à deux ou trois personnes ici présentes qui, bien entendu, devront tenir leur langue.

Jonathan s'est exécuté. Puis, le magicien lui a demandé de détacher la feuille du carnet et de la plier en huit avant de la lui remettre. Alors, monsieur Gauthier l'a déchirée en mille morceaux qu'il a lancés dans le feu. Ensuite, il a plongé ses yeux dans ceux de Joey qui a soutenu son regard sans ciller. Soudain, il a déclaré :

– Le nom que tu as choisi commence par la lettre B. C'est exact ?

– Oui.

– Balzac ! a dit le magicien.

– Vous avez deviné ! s'est étonné Jonathan, ravi.

– Wow ! a fait Sammy, vous êtes doué en télépathie, m'sieur.

Une fille de 5ᵉ a crié :

– Oh, monsieur Gauthier, comment vous faites pour lire dans les pensées des gens ?

– Désolé, a répondu celui-ci, mais un magicien ne dévoile jamais ses trucs.

★ Comme quelques élèves insistaient, pour clore le sujet, il a sorti cinq enveloppes de sa poche. Tout simplement numérotées de 1 à 5.

– Pour ce tour-ci, j'ai besoin d'un élève de chaque classe.

L'instant d'après, Jade, Petrus, Tristan et Imane se tenaient devant lui, tandis que d'autres volontaires, moins rapides, se rasseyaient. Présentant les enveloppes en éventail, monsieur Gauthier a demandé à chacun d'en choisir une.

– Et celle qui reste, lui a demandé Catherine Frontenac, elle est pour qui ?

– Pour moi. Maintenant, Tristan, tu peux ouvrir la tienne.

✳ Tristan (enveloppe 2) y a trouvé une pièce d'un dollar.

✳ Petrus (enveloppe 5) a brandi un faux billet de banque de 100 $ sur lequel était collée une tête comique de monsieur Gauthier.

✳ Imane (enveloppe 3) : son enveloppe contenait un papier de la taille d'un billet qui, à la manière des biscuits chinois, souhaitait : « Meilleure chance la prochaine fois ! »

✳ Jade (enveloppe 1) en a sorti une feuille d'érable.

Jonathan a lancé :

– À vous, m'sieur, de découvrir ce qu'il y a dans votre enveloppe !

– Voyons donc, il le sait ! l'a rabroué Antoine Gaudet.

Le magicien continuait d'afficher un sourire imperturbable. Après avoir décollé l'enveloppe, il en a sorti un à un cinq billets de banque qu'il a montrés à la ronde. Des billets de 100 $. Des vrais, cette fois !

– Vous êtes riche ! s'est exclamé un élève de 5ᵉ A.

Monsieur Gauthier a ri.

– Pas vraiment… Dès que je le pourrai, j'irai redéposer mes billets à la banque.

– Je n'en reviens pas du risque qu'a pris monsieur Gauthier! m'a glissé Violette.

– Moi non plus, ai-je répondu. Il devait vraiment être sûr de son coup.

– Je me demande comment il a fait pour influencer mon choix et celui des autres, a dit Jade, qui avait regagné sa place parmi nous.

Patrick y est allé de son commentaire, lui aussi:

– Quelqu'un capable de prendre le contrôle sur notre esprit… ça donne froid dans le dos.

– Heureusement qu'il s'agit de monsieur Gauthier, ai-je rétorqué. On ne peut pas l'accuser d'avoir des intentions malveillantes.

Curieuse, Emma a demandé à Jade ce qu'elle aurait fait avec le gros lot si elle avait pris l'enveloppe 4.

– J'aurais gardé 100 $ d'argent de poche pour mon voyage cet été et les quatre billets restants, je les aurais donnés pour le projet humanitaire à Niyanga.

– Oh, tu es trop gentille! s'est émue Africa.

Monsieur Gauthier nous a rappelés à l'ordre.

– Chut! Même si j'ai oublié d'apporter mon jeu de cartes, j'ai quand même envie de vous faire un tour de cartes. Alice, as-tu envie de participer?

★ Surprise, j'ai senti que je piquais un fard. Mais personne n'allait s'apercevoir que j'avais rougi, car il faisait presque nuit.

– D'accord, monsieur !

Et je l'ai rejoint d'un bond.

– Imagine-toi que toutes les cartes du jeu flottent au-dessus du feu. Ensuite, elles commencent à tomber au ralenti dans le brasier. Les vois-tu ?

– Oui, ai-je répondu, concentrée sur ce qu'il me demandait.

– Quelles sont les premières à toucher les flammes : les rouges ou les noires ?

– Les noires.

– Les cartes noires sont donc en train de flamber. Et parmi les cartes rouges qui planent toujours au-dessus du feu, lesquelles descendent à leur tour ? Les piques, les carreaux, les cœurs ou les trèfles ?

– Les carreaux.

– Et ensuite ?

– Les piques. Puis les trèfles et enfin les cœurs.

Monsieur Gauthier a approuvé :

– Bien. Maintenant, c'est au tour des cartes de cœur de tomber une à une dans le brasier. Bientôt, il ne reste plus qu'une carte au-dessus du feu. À toi de décider laquelle. Sans rien dire, évidemment.

Après un moment de réflexion, je lui ai répondu :

– C'est fait.


Julien Gauthier m'a fixée pendant plusieurs secondes. Tirant un foulard de sa poche, il l'a déplié et l'a tenu un instant au-dessus des flammes… et crois-le ou pas, cher journal, sur celui-ci est apparue une dame de cœur !!! Je n'en croyais pas mes yeux.

– Comment avez-vous pu deviner la carte que j'avais choisie ? lui ai-je demandé.

– Ha ha ! a fait notre magicien, fier de lui, mais sans, bien évidemment, répondre à ma question.

★ Il a suffi que le magicien sorte quelque chose de sa poche et nous le montre pour que le chahut qui avait suivi notre tour fasse place au silence. L'objet en question était un galet plat, semblable à ceux avec lesquels on avait fait des ricochets, cet après-midi. Monsieur Gauthier a refermé sa main sur la pierre. Après avoir demandé à un élève de 5ᵉ B assis au premier rang, juste devant lui, de s'approcher, il l'a invité à souffler doucement sur son poing fermé. Omar s'est exécuté avant de regagner sa place. Julien Gauthier a fermé ses yeux pour mieux se concentrer. Lorsqu'il les a rouverts, il a aussi écarté les doigts de sa main. Le galet avait disparu ! Comment était-ce possible ? Il a demandé à Omar de regarder dans les poches de sa laine polaire. Et le gars de 5ᵉ A, fouillant dans ses poches, en a ressorti *the* galet !

★ Pour le tour suivant, le magicien a ramassé un petit bout de bois à terre. Après l'avoir fait tenir en équilibre sur le goulot de sa gourde, il a passé sa main autour.

Trente secondes plus tard, Jonathan n'a pu s'empêcher de crier :

– Ça tourne !

En effet, sous l'effet de l'énergie que réussissait apparemment à lui transférer monsieur Gauthier, la fine branche avait commencé à pivoter sur elle-même en une rotation très lente. Incroyable ! Soudain, elle a chuté au sol.

★ La nuit était tombée. Au-delà du cercle du feu, la nature avoisinante était désormais plongée dans les ténèbres. Monsieur Gauthier a déclaré :

– Par la force de mon esprit, j'ai réussi à déplacer la branche. Voulez-vous que je retente l'expérience avec l'un d'entre vous, cette fois ?

Comment ça ?!

Bien sûr !

Oui !

Moi, m'sieur !

Je suis volontaire !

Moi, moi, moi !!!

Le prof-magicien a appelé Africa et lui a demandé de s'étendre sur le banc à gauche du feu. Il est venu replacer ses bras de façon que sa position soit la moins inconfortable possible. Ensuite, s'emparant de l'épaisse couverture, il a soulevé celle-ci, formant ainsi un écran entre elle et nous tous. Après quelques secondes, il a lentement abaissé ce rideau improvisé et en a recouvert notre amie. La couverture était si grande que ses pans formaient d'épais plis sur le sol. Afri était à présent invisible (enfin, grâce à la lumière dansante des flammes, on distinguait quand même la forme de son corps). Ensuite, notre magicien s'est tourné vers le feu afin, nous a-t-il expliqué, d'y puiser un supplément d'énergie.

– Car Africa pèse tout de même davantage que la brindille de tout à l'heure ! a-t-il ajouté avec humour.

La suite dépasse l'entendement. Lorsqu'il s'est retourné vers Afri et a soulevé ses bras au ralenti, le corps de notre amie a commencé à s'élever lui aussi. Avais-je la berlue ? Non, la voilà qui, avec la longue couverture, flottait maintenant à un demi-mètre au-dessus du banc. Éberluée et un peu inquiète que mon amie ne retombe brusquement et ne se fasse mal si jamais monsieur Gauthier relâchait son attention ne fût-ce qu'une seconde, je retenais mon souffle. Les mains de celui-ci se sont portées doucement vers la gauche, puis vers la droite, et on aurait dit qu'Africa volait ou plutôt se laissait porter par une vague ! Toujours au ralenti, il a abaissé ses bras et Afri a atterri en douceur sur le banc.

Fiouuu ! Le magicien a soulevé la couverture devant elle, recréant ainsi l'effet « rideau » du début du tour. Lorsqu'il l'a abaissé, j'ai constaté que notre amie se trouvait exactement dans la même position qu'au départ. Malgré l'expérience quasi surnaturelle qu'elle venait de vivre, elle n'avait l'air ni étourdie ni effrayée quand elle s'est relevée, mais fière et heureuse que tout se soit bien passé. Sous des salves d'applaudissements, le prof et l'élève nous ont salués bien bas.

C'est alors que monsieur Gauthier nous a fait deux révélations.

– Il y a une semaine, Africa est venue me trouver dans la salle des profs. Elle m'a demandé si nous pourrions, pendant le spectacle de magie, exécuter un tour tous les deux. J'ai accepté et elle m'a proposé qu'on vous prépare une surprise.

« Ha ha, ils étaient de mèche, tous les deux, me suis-je dit. Voilà qui explique pourquoi notre amie n'a pas paru surprise lorsque monsieur Gauthier l'a appelée. »

– Cachottière ! a pour sa part crié Patrick à l'endroit de notre amie.

Sans aucune agressivité, mais avec humour et admiration. En regagnant sa place, Africa a avoué que seule Kelly-Ann était dans le secret.

– Mais moi, quand on me le demande, a commenté cette dernière, je suis muette comme une tombe.

La deuxième chose que Julien Gauthier tenait à nous dire était que tous les tours qu'il nous proposait ce soir, il les avait appris dans le manuel de magie pour amateurs avancés que nous (ses anciens élèves de 5e B) lui avions offert à la fin de notre année scolaire, l'an dernier ! Trop cool !

★ Moi qui pensais que la soirée magique était finie, eh non, monsieur Gauthier avait un dernier tour dans son sac. Il a allumé une lampe de poche. Approchant sa main gauche du faisceau lumineux, il a « pris » la lumière pour la tenir sur le bout de ses doigts! Puis, il a déposé la lampe-torche et a passé la lumière d'une main à l'autre. C'était non seulement 100 % magique, mais aussi un véritable enchantement pour les yeux! Le silence était tel que la seule chose qu'on entendait était le crépitement du feu. Ensuite, il a repris sa lampe de poche et, avec l'autre main qui tenait toujours la lumière, il a «lancé» cette dernière en direction de la lampe qui s'est rallumée. Wow!

Comme le bouquet final d'un feu d'artifice, des applaudissements frénétiques et des «Bravo!» ont fusé. Monsieur Gauthier a répondu à quelques questions comme:
✳ D'où vous est venue votre passion pour la magie?
✳ Pourquoi vous n'êtes pas devenu un magicien professionnel?
Puis nous sommes rentrés, non sans avoir pris le temps d'admirer le ciel constellé d'étoiles. En allumant ma lampe de poche pour t'écrire dans mon lit, cher journal, j'ai essayé (sans me faire trop d'illusions!) d'en saisir la lumière, mais en vain. Je me demande vraiment comment Julien Gauthier y parvient. Mais il a raison de ne pas nous révéler ses trucs. Sinon, la magie partirait en fumée… En tout cas, quel talent! Oupsie, 22 h 47… À demain, cher journal.

# Mercredi 15 juin

## Nuit et journée mouvementées.

☺ Emma, qui est somnambule, s'est retrouvée dans notre chambre à 3 h du mat. Marie-Ève est allée gentiment la reconduire dans la chambre d'à côté.

☹ En jouant au bras de fer à la table de la cafétéria, Jonathan a cassé le bras de Simon. Pas exprès, bien entendu. Même s'il avait très mal, Simon a expliqué aux profs que ce n'était pas de la faute de Joey, qu'ils s'amusaient bien, tous les deux, jusqu'à ce que Joey lui rabatte soudain si vite l'avant-bras que ça a fait crac. Madame Pescador a filé à l'hôpital avec son élève blessé. Quant à madame Robinson, bien décidée à faire réfléchir son élève impulsif, elle est restée aujourd'hui avec lui à *L'espace nature*. C'est avec un air de chien battu que Jonathan nous a regardés embarquer dans l'autobus.

☺ Deux heures plus tard, nous sommes arrivés au bout de la Gaspésie. Au programme de la journée, aller marcher sur les sentiers du parc national Forillon. Sa forêt, nous a expliqué monsieur Gauthier, abrite une quarantaine d'espèces de mammifères comme l'ours noir, l'orignal, le porc-épic, la marmotte, le castor, le renard roux, le lynx, etc. Cette fois, nous avons dû le croire sur parole car, à part une souris qui est passée en flèche devant CP, aucun animal n'a daigné montrer le bout de son museau. Pas

146

étonnant puisque notre troupe était particulièrement bruyante, aujourd'hui. Juges-en par toi-même, cher journal.

☺ Juste après que CP nous a signalé qu'elle avait aperçu une souris, Patrick a déclaré à Barbara Witold, une fille timide de 6ᵉ A :
– Tes parents auraient dû t'appeler Moustache de souris plutôt que Barbara.
– Pourquoi ?!
– Ben…, a fait Patrick en mimant une moustache puis une barbe. Moustache de souris. Barbe à rat.
La pauvre Barbara a pris un air horrifié.
Prenant sa défense, Audrey a répliqué :
– Patrick, tu exagères !

☺ Un peu avant d'arriver à la plage, Pat, tanné de se faire achaler par Antoine Gaudet, a fini par le pousser. Ce dernier est tombé à la renverse en lâchant un cri. En se redressant, il a lancé :
– Hey, ça va pas, non, Patate pourrie ?! Imagine que je me sois cassé le bras, comme Simon ! Ou, pire, si ma tête avait heurté cette pierre, j'aurais pu avoir une commotion cérébrale !
– Pour avoir une commotion cérébrale, ça prend un cerveau, a conclu l'humoriste de notre classe.

☺ Sur le chemin du retour, mes amis et moi avons marché un moment aux côtés de monsieur Gauthier. On lui a répété à quel point le spectacle d'hier nous avait plu. Puis

Africa s'est mise à parler de *Défier la magie*, une émission qu'elle adore.

– Moi aussi, je la regarde, a dit Eduardo. J'ai particulièrement aimé l'épisode où une comédienne a lancé aux magiciens le défi de mystifier un chien.

– Zut, on a raté quelque chose! s'est exclamé Stanley. Monsieur Gauthier, vous auriez dû jouer un tour à Balzac. Faire apparaître un énorme tas de croquettes, par exemple, avant de le faire disparaître.

– Pauvre Balzac, ç'aurait été vraiment cruel, a commenté Jade avec humour. Lui qui est si gourmand…

Sur ce, cher journal, je te laisse pour aller souper (car moi aussi je suis gourmande!). Ensuite, on a rendez-vous devant le feu de camp. Oups, j'ai oublié de te dire que Marie-Ève avait hâte de rentrer pour avoir des nouvelles de Simon. En descendant de l'autobus, elle s'est précipitée vers lui qui nous attendait, assis sur le muret, à côté de Joey. Simon arborait un plâtre qu'on lui a tous promis de signer. À part ça, il n'avait plus mal. Tant mieux!

Je m'étais rendue au feu de camp lorsque j'ai réalisé que j'avais envie de pipi. Je suis retournée en vitesse dans le bâtiment. Dans l'entrée, j'ai entendu madame Robinson sermonner Patrick.

– Tu le sais pourtant bien, Patrick, que je ne badine pas avec l'intimidation!

Lui s'est énervé.

– J'en ai ras le bol! Chaque fois que j'ouvre la bouche, on m'accuse d'intimidation. Personne n'a le sens de l'humour, à l'école des Érables. À Montréal, y'a le festival Juste pour rire. Dommage qu'il n'existe pas une école Juste pour rire! Ce serait drôlement plus cool que dans cette école où personne ne comprend la blague à part Eduardo!

Et il a éclaté en sanglots. Moi, j'ai filé aux toilettes et je n'ai jamais su, finalement, ce qui s'était passé.

On avait déjà commencé à chanter devant le feu lorsque madame Robinson nous a rejoints. Suivie par Patrick qui s'est faufilé jusqu'à Eduardo et s'est assis à côté de lui… Décidément, ce n'était pas une journée de tout repos.

21 h 45. On a chanté jusqu'à 21 h (notamment des chansons de la soirée africaine). Et ensuite, ceux qui le voulaient sont restés avec Julien Gauthier et Kim Duval pour observer les étoiles.

– Savez-vous qu'on peut en distinguer environ 6 000 à l'œil nu, nous a appris le passionné d'astronomie.

Il nous a montré et nommé plusieurs constellations. Et là-haut, apparemment, il y a peut-être des milliards d'univers… C'est inimaginable!

Soudain, Kim Duval s'est écriée:

– Oh, une étoile filante!

Puis à son tour Violette en a repéré une et celle-là, je l'ai vue, moi aussi. J'ai fait un vœu. Comme il paraît qu'il ne faut pas le dévoiler sous peine qu'il ne se réalise pas, je le garde secret, cher journal. Et c'est ainsi que cette journée s'est finalement terminée en beauté.

*J'ai l'impression que nous sommes partis depuis une éternité. Comme si nous nous trouvions dans un univers parallèle. Difficile de s'imaginer qu'après-demain, on reprendra la route de Montréal et le train-train quotidien... En fait, je ne veux même pas y penser pour profiter au maximum de chaque seconde de ce séjour inoubliable !*

## Jeudi 16 juin

Ce matin, nous revoilà partis vers de nouvelles aventures : la visite du parc national de l'Île-Bonaventure-et-du-Rocher-Percé. Trajet en autobus jusqu'à Percé. Ensuite, on a pris le bateau. De temps en temps, un paquet d'eau passait par-dessus bord et nos pieds étaient trempés. Mais ce n'était pas grave. Il y avait le soleil, le ciel bleu, la mer toute bleue elle aussi et les amis. Que demander de plus ?

Nous avons longé le célèbre rocher Percé dont nous avait tant parlé monsieur Gauthier. C'est vrai que la vue est vraiment incroyable ! Puis, le bateau a mis le cap vers l'île Bonaventure. Patrick a repéré un phoque et ensuite, on en a vu plusieurs autres qui s'amusaient dans les vagues. Des phoques ! Voilà qui a achevé de dépayser la résidante de la rue Isidore-Bottine.

Nichés dans la falaise rouge, il y avait des milliers de fous de Bassan. (C'est quoi ? Sois patient, cher journal, je t'explique ça dans 30 secondes.) Après avoir accosté, nous avons mangé notre lunch sur une aire de pique-nique face au large. Ensuite, nous nous sommes rendus au sommet de l'île d'où nous avons pu observer l'immense colonie de fous de Bassan. Ce grand oiseau marin au plumage blanc a la tête et le cou jaune pâle et un masque noir autour des yeux. Le bout de ses longues ailes est noir. Son bec est très pointu, ce qui est pratique pour attraper les poissons et les calmars dont il se nourrit. À cette époque-ci de l'année, les parents couvent les œufs qui vont éclore le mois prochain.

J'ai interrogé madame Robinson.

- Pourquoi on les appelle des fous ?

- Ces oiseaux planent haut dans les airs et, lorsqu'ils repèrent une proie, ils plongent dans la mer à une vitesse pouvant dépasser les 100 km/h. C'est ce qui leur vaut leur nom de fous. Sans compter qu'ils peuvent plonger jusqu'à une quinzaine de mètres de profondeur.

- Les fous de Bassan, ça n'arrête pas de crier ! s'est plainte Éléonore.

Puis, en se pinçant le nez, elle a ajouté :

- Et ça pue !

En fait, ce ne sont pas les oiseaux qui sentent mauvais, mais leurs cacas…

En rentrant au centre *L'espace nature*, nous avons disposé d'une heure de liberté. Je suis allée écrire dans ma chambre puis, après avoir remis mon journal intime dans sa cachette, je me suis dirigée vers la sortie pour aller rejoindre les autres. Mais avant ça, je devais passer aux toilettes.

– Qui est là ? a demandé quelqu'un derrière une des portes.

– Alice.

– Oh, Alice, c'est moi, Angelica ! J'aurais besoin que tu me rendes un service.

– Quoi ?

– S'il te plaît, peux-tu aller chercher une serviette hygiénique dans ma chambre ?

– Euh, d'accord.

– Tu les trouveras dans ma trousse de toilette noire. Merci d'avance !


Ici, au centre, Angelica dort dans la même chambre que Gigi Foster, mais elle ne fait pas partie de ses amies, d'habitude. C'est plutôt une amie de Magalie. Je suis repartie au pas de course vers les chambres. J'ai frappé à la porte de celle de mes voisines. Personne. Je suis entrée. Tout à coup, j'ai pensé qu'Angelica ne m'avait pas indiqué où était sa trousse de toilette. Heureusement, dans la salle de bain, j'ai vu trois trousses, dont une noire. Dedans, j'y ai trouvé du déo, un tube de dentifrice, un brillant à lèvres, une pince à épiler, mais pas de serviettes… Je suis retournée dans la chambre. Oh, une autre trousse noire, plus grande celle-là, était posée sur un des lits du haut ! Me hissant sur la pointe des pieds, j'allais la saisir lorsque des voix me sont parvenues. J'ai reconnu celle de Gigi Foster et de Chloé. Impossible de sortir de leur chambre sans qu'elles me voient. Prise de panique, j'ai trouvé refuge dans la petite salle de bain. Tilt! Je me suis glissée derrière le rideau de douche.

L'instant d'après, Chloé s'est étonnée.
- Bizarre, la porte de notre chambre est ouverte…
Sans prêter attention à sa remarque, Magalie a soupiré d'aise.
- Ça fait du bien de s'étendre un peu. Si je fermais les yeux, je dormirais jusqu'à demain.
- Moi aussi, je suis crevée! a renchéri Chloé. Mais j'ai adoré cette sortie en bateau.
- Sans Alice Aubry, ç'aurait été une journée parfaite, a commenté pour sa part Gigi Foster.
- Pourquoi tu dis ça? lui a demandé Magalie.
- Elle qui cherche toujours à se rendre intéressante n'arrêtait pas de poser des questions à madame Robinson!
- Je n'ai rien remarqué.
Après un instant de silence, Magalie a ajouté:
- Pourquoi tu la détestes autant, Alice?

Faisant comme si elle n'avait pas entendu, JJF s'est énervée.
- Dire que j'ai failli aller vivre en face de chez elle! Imaginez-vous, les filles, que ma mère et mon beau-père étaient prêts à faire une offre d'achat sur la maison de la rue Isidore-Bottine. J'ai eu du mal à les convaincre de renoncer à cette habitation qui, d'après eux, correspondait exactement

153

à ce qu'ils cherchaient. Alors, j'ai passé deux soirées sur Internet à rechercher d'autres maisons et, par chance, ma mère a eu le coup de foudre pour l'une de celles que je lui ai présentées.

Ayant de la suite dans les idées, Magalie a répété :

– Mais pourquoi tu la détestes tant, Alice ?

– Si je vous le dis, vous me jurez de ne rien répéter à personne.

– Tu peux compter sur moi.

– Sur moi aussi, Gigi, a déclaré Chloé.

– Il me faut plus de garanties que ça. Je vous l'explique à condition qu'on mélange nos sangs.

– Mélanger nos sangs ?! a répété Chloé d'un ton choqué.

– Comment ça, mélanger nos sangs ?! s'est étonnée à son tour Magalie. C'est dangereux ! Mes parents m'ont déjà dit que certaines maladies pouvaient se transmettre par le sang…

– Je n'ai aucune maladie. Si vous acceptez ce pacte de silence, je me sens enfin prête à vous révéler le drame de ma vie.

On aurait entendu une mouche voler.

– De quel drame veux-tu parler ?

Devant le mutisme de Gigi Foster, on a toutes réalisé (moi y compris) que celle-ci ne céderait pas. Chloé a fini par soupirer :

– Bon, je vais chercher ma pince à épiler pour qu'on en finisse.

Et entrant dans la salle de bain, elle en est ressortie aussitôt en frôlant le rideau de douche. Moi, assise au fond de la douche, je n'en menais pas large! Une pensée m'a effleuré l'esprit: cette pauvre Angelica devait se demander ce que je fabriquais…

– Vas-y, Magalie, a dit Chloé en lui passant la pince.

– Est-ce qu'on est vraiment obligées de faire ça, Gigi? a bafouillé Magalie. On est tes amies…

– C'est justement parce que je vous juge dignes de mon amitié que je m'apprête à vous révéler un pan caché de ma vie. Si t'as peur de te faire un mini-bobo au doigt, personne ne t'oblige à te l'infliger. Mais c'est maintenant ou jamais. Mon secret est resté enfoui en moi pendant 12 ans et il se peut que d'une minute à l'autre, je change d'avis et que je le cadenasse encore dans mon cœur pour les 12 prochaines années. Ou à tout jamais. Bref, décide-toi!

Magalie a protesté.

– T'es tellement dure, Gigi! Tu sais que j'ai horreur du sang et des piqûres… T'es gothique ou quoi?

– Pas du tout. Sors d'ici, mauviette!

De ma cachette, j'ai entendu les pas de Magalie s'éloigner précipitamment dans le couloir. Quelqu'un (ça devait être Gigi Foster) a refermé la porte de la chambre en la claquant.

Chloé a déclaré:

– Moi, je veux savoir.

Silence. Suivi d'un gémissement. Chloé avait dû s'entailler le doigt avec la pince…

– Voilà.

– C'est pas suffisant, a jugé Gigi Foster d'un ton aussi froid et méprisant que lorsqu'elle s'adresse à moi. C'est juste une égratignure.

– Non, regarde, si je presse sur mon index, y'a une goutte de sang qui perle.

– Bon, d'accord. Passe-moi la pince.

Re-silence. Puis, d'un ton solennel, mon ennemie a déclaré :

– Et voilà, le pacte de l'amitié est scellé. Ce que je vais te dire, personne d'autre ne doit l'apprendre. Jamais.

– Promis, Gigi.


– Pour commencer par le début, a dit cette dernière, je ne suis pas enfant unique.

– Ah non ?! Tu as un demi-frère ou une demi-sœur ?

– J'avais une sœur. Mes parents ont eu une première fille. Moi, je suis la deuxième. Ma sœur est morte quand elle avait deux ans. Je ne l'ai jamais connue car, lorsque c'est arrivé, je me trouvais dans le ventre de ma mère. Je suis née quelques semaines plus tard.

– Je suis tellement désolée pour toi, Gigi, a fait Chloé d'un ton hyper compatissant. Elle a eu une maladie, ta sœur ?

– Non, elle est décédée accidentellement. Par cette chaude après-midi du mois d'août, ma mère avait emmené ma sœur se rafraîchir dans la piscine du jardin. Elles venaient de sortir, toutes les deux, lorsque le téléphone a sonné. Ma mère est rentrée pour le prendre. C'était une de ses amies en pleurs. Qui venait d'apprendre que son chum avait la

156

leucémie. Tout à coup, ma mère a réalisé que sa petite fille était restée dehors. Elle l'a cherchée et c'est au fond de la piscine qu'elle l'a retrouvée. Elle a été incapable de la réanimer. Quelques minutes plus tard, les ambulanciers ont constaté son décès.

– Mais… c'est terrible, Gigi… Pourquoi tu n'en as jamais parlé ?

Silence.

– Elle s'appelait comment, ta sœur ?

– Alice.

– Hein !!!

J'ai failli crier, moi aussi !

– La veille de mon entrée à l'école, a poursuivi Gigi, je suis tombée par hasard sur un ourson en peluche caché sous les pyjamas de ma mère. Comme je lui demandais à qui il appartenait, elle a fini par m'apprendre qu'elle avait eu un bébé avant moi. Du coup, l'autre Alice, la petite niaiseuse d'Alice Aubry qui s'est retrouvée dans ma classe de maternelle, moi, j'ai jamais pu la sentir. Et le jour où j'ai appris sa date d'anniversaire, ça n'a pas arrangé l'affaire.

– Pourquoi ? C'est quoi la date de fête d'Aubry ?

– Le 15 août. Cette fille est née un an jour pour jour après la mort de ma sœur. Et en plus…

– Quoi, en plus ? a soupiré Chloé qui avait l'air profondément troublée.

– Oh, rien.

– Allez, Gigi, dis-le-moi maintenant que tu as commencé !

157

– En plus, à la fin de la 5e, Alice Aubry tournait autour de Karim. Elle a fini par lui mettre le grappin dessus.

– Tu es amoureuse de Karim ?!

– L'an dernier, oui, je t'avoue que je l'étais. Il est super beau, ce gars. À la rentrée, même s'il me manquait, j'étais finalement soulagée qu'il ne soit plus là. Car j'aurais trouvé ça encore plus difficile de voir Alice Aubry se pavaner avec un air satisfait. Si Karim ne m'aimait pas, au moins, cette petite idiote en était privée, elle aussi.

– Il paraît que Karim revient bientôt à Montréal. Tu devrais essayer de le contacter via Facebook.

– Impossible, il n'a pas de compte Facebook. Et puis, s'il est tombé dans le panneau avec Alice Aubry, c'est parce que c'est un faible. Et moi, Chloé, j'ai horreur des faibles. Finalement, Karim ne m'intéresse plus.

Toujours derrière le rideau de douche, j'étais paralysée par la peur, mais aussi terriblement choquée. Karim, tombé dans le panneau… C'était tellement humiliant d'entendre tout ça ! Et cette haine à mon égard qui jaillissait comme de la lave en fusion. Sans compter la terrible histoire avec cette toute petite fille à peine plus âgée que notre Zoé qui s'était noyée…

C'est un cauchemar à vous glacer le sang…

Soudain, j'ai senti monter en moi un éternuement. J'ai bien essayé de le réprimer en fermant ma bouche et me pinçant le nez, mais ça a quand même produit un grognement étouffé.

Gigi Foster s'est précipitée dans la salle de bain. Lorsqu'elle m'a découverte, recroquevillée dans la douche, il y avait tant de fureur dans ses yeux que j'ai cru ma dernière heure venue. Me saisissant par les cheveux, elle m'a relevée d'un coup sec.

– Aïe !

Puis elle a attrapé le haut de mon tee-shirt dans son poing et m'a quasiment soulevée.

– Qu'est-ce que tu fais ici, sale petite peste ? a-t-elle sifflé entre ses dents. Tu es venue fouiller dans mes affaires ?!

– Pas du tout ! ai-je protesté. J'ai…

– En tout cas, tu nous as espionnées ! Et ça, tu vas me le payer !!!

Chloé l'a suppliée de se calmer, mais sourde à sa demande, Gigi s'apprêtait à me frapper quand, l'attrapant par le bras, Chloé a tenté de la tirer par en arrière. Gigi s'est dégagée d'un coup d'épaule.

– Va-t'en ! lui a-t-elle lancé. Laisse-moi régler mes comptes.

C'est alors que des pas précipités ont résonné dans le couloir. Madame Robinson, suivie par Magalie, a fait irruption dans la pièce.

– Que se passe-t-il ici ?! Pourquoi demandes-tu à tes amies de s'infliger une blessure, Gigi ?! Tu as perdu la tête, ou quoi ? Quant à toi, Alice, sors de cette douche, s'il te plaît !

Coupant la retraite à Gigi Foster qui faisait mine de vouloir filer en douce, madame Robinson a refermé la porte de la chambre. Elle a intimé à Gigi et Chloé de s'asseoir sur une des couchettes du bas et a désigné l'autre à Magalie et moi. La prof, elle, est restée debout. Elle a commencé par me demander ce que je faisais dans cette chambre. Ensuite, elle a voulu faire toute la lumière sur l'affaire du pacte de silence.

– Toi, je te déteste! a lancé Gigi Foster à Magalie. Tu m'as trahie!

– Obliger Chloé et moi à nous taillader le doigt parce que tu l'as décidé ainsi, Gigi, c'est trop. Tu es notre amie pourvu qu'on te suive. Mais on ne peut jamais te contrarier ni émettre la moindre critique.

– Je ne t'adresserai plus jamais la parole!

– Tant pis ou plutôt tant mieux. Une amie comme toi, qui passe son temps à se moquer des autres, moi, je n'en veux plus.

Chloé a bien été obligée de raconter toute l'affaire, mais en donnant le minimum de détails possible. Gigi Foster gardait la tête baissée. Madame Robinson est repartie avec elle, un peu comme un garde avec une prisonnière et moi, me souvenant soudain de ma mission, je suis repassée par ma chambre et j'ai pris une des deux serviettes hygiéniques que j'emporte toujours avec moi au cas où... Je me suis précipitée aux toilettes, mais Angelica n'était plus là. Elle avait dû se débrouiller autrement.

Toujours sous le choc, je suis remontée et je t'ai tout raconté, cher journal. Bon, voilà Marie-Ève qui vient me chercher pour le souper. Ensuite, nous repartirons en autobus à Carleton-sur-Mer. Pour notre dernière soirée, monsieur Gauthier a prévu un spectacle de contes traditionnels de Gaspésie. Thomas nous a assurés qu'avec Patrick Dubois (le conteur), nous allions passer une soirée formidable. Il nous a conseillé de nous équiper de vêtements chauds, car le spectacle a lieu au pied du phare et que, même s'il y aura un feu sur la grève, il fait frisquet, le soir au bord de la mer.

Thomas avait raison! Avec la rumeur des vagues et le crépitement du feu comme fond sonore, quelle ambiance! On était suspendus aux lèvres du conteur. Même Jonathan s'est tenu tranquille. Et moi, le temps qu'a duré le spectacle, j'en ai oublié l'intimidante, la terrifiante, la fragile Gigi Foster. D'autant plus qu'elle n'était pas présente, ni madame Robinson, d'ailleurs. Celle-ci, ayant privé son élève de sortie pour son comportement inacceptable, est restée avec elle à *L'espace nature*. Mais à peine étions-nous rentrés au bercail que, boum, tout ça m'est retombé dessus. J'ai eu tellement peur, tout à l'heure, que j'espère juste ne pas faire de cauchemars, cette nuit.

## Vendredi 17 juin

Bye bye, belle et accueillante Gaspésie! À la prochaine!

Je t'écris de l'autobus, cher journal. Nous avons mangé notre lunch à Rimouski, sur un observatoire surélevé dominant le Saint-Laurent. On aurait dit qu'on se trouvait sur le ponton d'un bateau, même que Jonathan se prenant pour un pirate s'est mis à crier : « À l'abordage ! » On a fait tellement de choses cette semaine, on s'est levés tôt, couchés tard, on a gravi une montagne et marché des dizaines de kilomètres… bref, on est tous vannés et, même si ça ne fait que dix minutes qu'on est repartis, la moitié de l'autobus dort, dont ma voisine Marie-Ève (côté fenêtre).

Hier, pour épargner la dignité de Gigi qui n'avait jamais parlé à personne du drame qui avait ravagé sa famille, j'avais décidé de ne pas ébruiter l'affaire. Mais ce secret me pesait tellement que je ne parvenais pas à dormir. J'ai fini par descendre de mon perchoir et j'ai doucement tapoté l'épaule de Marie-Ève.
– C'est toi, Alice ? Qu'y a-t-il ?!
– Désolée de te réveiller, Marie, ai-je chuchoté, mais j'ai absolument besoin de te parler.
– Tout de suite ?
– Oui. On peut sortir sur la terrasse ? Je veux être sûre que Violette et Emma n'entendent rien. Ni Gigi Foster, derrière le mur…
– Bon… Je mets ma laine polaire et on y va.

Il était presque 23 h et la voie était libre. Marie et moi, on est sorties en catimini dans le couloir silencieux. On avait pensé à apporter nos sacs de couchage. Heureusement, car brrr… il faisait frisquet, dehors. On a étendu nos sacs sur la terrasse et on s'est glissées dedans. C'est sous la voûte étoilée que je me suis confiée à ma meilleure amie. Sa première réaction a été :

– Mais pauvre Alice ! Elle est complètement malade, cette fille !!! Elle aurait besoin d'un psy !

Une fois calmée, elle a fait preuve de la compréhension et de la gentillesse dont j'avais besoin. Elle a même pensé au fait que, pour éviter de me retrouver nez à nez avec JJF, je ne devais à aucun moment me promener seule (par exemple me rendre seule aux toilettes de l'école, la semaine prochaine). C'est ainsi qu'elle m'a promis que jusqu'à jeudi prochain, dernier jour de l'année, je serais toujours accompagnée par ma «garde du corps». C'est rassurant. Vive l'amitié ! Il était passé minuit quand on a regagné nos pénates sur la pointe des pieds. Ni vu ni connu ! Fiouuuu…

Malgré tout, je reste traumatisée par ce que m'a fait subir Gigi Foster, hier, mais aussi tout au long de ma scolarité à l'école des Érables. Cette fille cachait en elle un noir secret. Dire que pendant toute sa vie, elle a traîné la mort de sa sœur comme un boulet. Elle a souffert en silence, me haïssant, comme si j'étais coupable d'être en bonne santé tandis qu'Alice Foster gisait six pieds sous terre, au cimetière. Elle aurait voulu que je sois morte à sa place ! Si j'avais appris cette histoire plus tôt, j'aurais peut-être pu lui en parler, lui dire combien j'étais triste, pour sa sœur, que c'était injuste. Mais maintenant, c'est trop tard. Même si l'accident qui a coûté la vie à la petite Alice est infiniment dramatique, je ne pleurerai pas sur le sort de JJF. Elle me l'a assez fait payer, ce hasard qui a fait que je porte le même prénom que celle qui aurait dû être sa grande sœur! Dire que si je m'étais appelée Fanny, un des prénoms qui se trouvait sur la liste de mes parents, je n'aurais sans doute pas eu Gigi sur le dos…

Tout ce que je voudrais, à présent, c'est oublier cette affaire. Je crois qu'une fois loin de Gigi Foster, au secondaire, il me sera plus facile de tourner la page. Bon, fini de ruminer tout ça et de lutter contre le sommeil! Je vais te ranger dans mon sac à dos, cher journal, et la prochaine fois que je te ressortirai, nous serons de retour au 42, rue Isidore-Bottine. Ma chère maison, mes parents, mes p'tites sœurs, ma chienne et les cochons d'Inde… rien que de penser à eux, un sentiment de sécurité et de bien-être m'envahit. ☺

Jonathan, Julien Gauthier
et Africa sur le bateau

*Le rocher Percé*

Violette et Éléonore à l'assaut du mont Albert
(à l'aller, car au retour, Violette traînait
la patte elle aussi à cause de ses ampoules)

## Samedi 18 juin

Quel bonheur de retrouver ma famille ! Cannelle m'a fait une de ces fêtes ! Gus et Superman ont grandi. Zoé ne me lâche plus d'une semelle. Et Caro de qui je suis indéniablement l'héroïne a voulu tout tout tout savoir sur mes aventures gaspésiennes. Elle était fière de m'annoncer que sa classe aussi serait de sortie la semaine prochaine. À la découverte du quartier portugais de Montréal. Quant à notre Astrid nationale, son livre est en 3ᵉ position dans le palmarès des ventes, cette semaine ! Et elle a été interviewée par le *Journal des voisins d'Ahunstic-Cartierville* qui sortira vendredi prochain !

J'ai mis mes parents et Caroline au courant, en ce qui concerne « l'affaire Gigi Foster ». Outrée, maman a dit que si ça n'avait pas été la fin de l'année, elle en aurait parlé à monsieur Rivet. Papa lui aussi était choqué d'apprendre ce que j'avais dû endurer. Du coup, ils nous ont raconté, à Caro et à moi, qu'eux aussi étaient tombés sur quelqu'un de particulièrement désagréable dans leur classe. Astrid en 5ᵉ et 6ᵉ primaire et Marc en 3ᵉ secondaire. Quant à ma sœur, elle s'est souvenue qu'en 1ʳᵉ année, sa BFF était vraiment changeante. Un jour, Justine lui jurait l'amitié éternelle et le lendemain, elle l'accusait de lui voler ses amies… Heureusement, en 2ᵉ puis en 3ᵉ, Justine s'est retrouvée dans l'autre classe. Et Caro est devenue la meilleure amie de Jessica qui, elle, n'est pas capricieuse.

Pour en revenir à JJF, ma sœur était furieuse contre elle, mais je lui ai fait promettre de ne pas aller la trouver et de ne rien révéler de tout ça à sa classe.

## Dimanche 19 juin

### Bonne fête, papa !

Ce matin, Caro et Zoé ont donné leurs cadeaux à poupou. Moi, je lui ai annoncé que ce que maman et moi on comptait lui offrir, on irait le chercher avec lui. Mais d'abord, on a pris un bon petit déjeuner sur la terrasse. C'était comme un avant-goût des vacances. Ensuite, nous sommes partis dans notre fourgonnette rouge.

Première étape (toute proche) : un magasin de tennis. En effet, papa adore jouer au tennis, mais sa raquette est super vieille. Il était heureux de pouvoir choisir une nouvelle raquette !

Deuxième étape : le marché Jean-Talon. On y a retrouvé les grands-parents + oncle Alex. Lorsque grand-papa a déclaré qu'il avait envie de manger un sandwich au porc effiloché, Caro est parvenue à le convaincre que les tacos du marché (qui ne contiennent pas de porc, eux) étaient succulents. Elle en avait déjà goûté un jour avec la famille de Jessica. Du coup, tacos pour tout le monde. Tandis qu'on mangeait sur une table de pique-nique, Alex nous a raconté son dernier voyage. Pour le dessert, on est allés se prendre un cornet de crème glacée. Ensuite, on s'est rendus à la chocolaterie du marché. À grand-papa, on a

*Comme saveurs, j'ai choisi vanille-pistache, un pur délice.*

offert un ballotin de pralines. Et grand-maman a acheté d'autres chocolats que nous avons partagés tout en nous promenant dans le marché. Moumou a repéré un étal de fraises. Les premières de la saison! Une heure plus tard, c'est avec des sacs bien remplis qu'on est rentrés à la maison. Juste à temps pour la sacro-sainte sieste du dimanche de poupou qui, en passant, était ravi de sa fête!

Ces fraises du Québec sont délicieuses! Caro et moi, on n'arrête pas d'en manger.

## Lundi 20 juin

Ce matin, en traversant la cour pour me rendre sous l'érable, j'ai pensé: «Dernière semaine à l'école des Érables…» Plus loin, mon ennemie jurée lançait un ballon de basket dans un des paniers le long du mur. Depuis que je connais son histoire, je ne parviens même plus à la détester malgré ce qui s'est passé. Cette fille restera un mystère pour moi.
– Salut, Alice!
C'était Jade. On aurait dit qu'on ne s'était pas vues depuis des siècles tant nous avions de choses à nous raconter! Le fait d'avoir vécu cette semaine extraordinaire nous a encore rapprochées. À l'instant où Catherine Frontenac est arrivée, on a entendu des cris. Me retournant pour voir ce qui se passait, j'ai vu un gros chien blanc et brun accourir. Tout le monde s'est éparpillé en poussant des

hurlements hystériques. Jade et moi, on est restées figées sur place. Tout s'est passé tellement vite que je n'ai pas eu le temps de réfléchir, mais quand j'y repense maintenant, j'avais l'impression que si je m'enfuyais, moi aussi, le chien se mettrait à courir après moi. Alors qu'il se précipitait sur Jade, le molosse a été arrêté net dans son élan par le ballon que lui a lancé Gigi Foster. Sous le choc, il est resté sonné un instant. Puis, faisant volte-face, il a bondi vers Gigi. Rapide comme l'éclair, celle-ci a réussi à protéger son visage de son bras gauche. Le chien a refermé ses mâchoires sur son bras. Gigi a crié de douleur, puis a roulé à terre avec le pitbull qui n'avait pas lâché prise. La surveillante est accourue avec un homme. Celui-ci a invectivé son chien et est parvenu à le reprendre par son collier.

Dans la cour régnait une pagaille indescriptible ! Moi, à quelques mètres de là, j'étais tétanisée : je ne parvenais pas à détacher mon regard de Gigi qui gisait par terre, les yeux ouverts et le bras ensanglanté dans un sale état. Le propriétaire du pitbull, qui n'en menait pas large, s'est confondu en excuses et en explications. Le directeur est arrivé et s'est accroupi devant Gigi. Jade aussi. Ma sœur puis Marie-Ève, Kelly-Ann et Africa m'ont serrée dans leurs bras. Jade est venue me demander comment j'allais et c'est à ce moment-là que j'ai éclaté en sanglots.

La police et les ambulanciers sont arrivés. Ces derniers se sont frayé un chemin dans la foule qui entourait la blessée.

Deux minutes plus tard, ils sont repartis avec elle sur un brancard et bientôt, le hurlement de la sirène a éclaté. La cloche a sonné, madame Robinson est venue nous chercher et nous a conduits en classe.

Décidément, Gigi Foster était bien la fille de son père: en situation d'urgence, elle garde son sang-froid et a peut-être sauvé la vie de Jade. Aurait-elle fait la même chose si le pitbull s'en était pris à moi? J'ai toutes les raisons d'en douter. Gigi était consciente après l'attaque, mais elle gisait dans une mare de sang. Était-elle en danger de mort? Et son bras en charpie?

Après la récré, on a su qu'elle se trouvait sur la table d'opération. De retour en classe, l'après-midi, madame Robinson nous a appris que Gigi Foster avait reçu une transfusion sanguine et que sa vie n'était pas en danger.

## Mardi 21 juin

Encore bouleversées par l'événement d'hier, on s'est toutes retrouvées sous l'érable, ce matin. La cloche sonnait quand Emma nous a rejointes.

– Bon été! nous a-t-elle lancé joyeusement.

C'est vrai, c'est aujourd'hui que commence la saison du Citrobulles!

Exam de maths... réussiiiiiiiiiiiiiiiiiiiiiiiiiiiiiiiiiiiiiiiiii!!!!!!! (77%...) J'ai encore remercié Bohumil qui m'avait gentiment consacré trois moments à l'heure du midi pour m'expliquer ce que je ne comprenais pas.

En français lecture : 91 % et en français écriture : 94 %.

Marie-Ève a pété des scores en maths : 95 %, presque autant que Bohu : 98 %. Et Jonathan a réussi tous ses examens. On l'a applaudi. Il était tellement heureux que ça faisait plaisir à voir. Je crois que ça lui procure la confiance en lui dont il a besoin pour arriver au secondaire.

Ce matin, monsieur Rivet est venu nous donner des nouvelles.

• D'après le chirurgien orthopédiste qui a opéré Gigi Foster, celle-ci retrouvera l'usage de son bras gauche, mais aura besoin de rééducation, plus tard, lorsque ses plaies seront guéries. Elle devrait quitter l'hôpital d'ici une semaine.

• Le pitbull a été euthanasié (tu sais combien j'aime les chiens, cher journal, mais celui-là, je ne le pleurerai pas).

• Son propriétaire fait face à des chefs d'accusation et devra y répondre devant la justice.

Jade a fait circuler une grande carte en classe en demandant qu'on la signe tous pour Gigi. Elle la lui apportera elle-même ce soir à l'hôpital. Comme tu peux te l'imaginer, cher journal, je n'avais aucune envie de participer à ce projet. Par ailleurs, je ne tenais pas non plus à me faire remarquer. Mais au moment où Eduardo m'a passé la carte, j'ai revu Gigi foncer pour sauver Jade. Quel acte de bravoure ! Car j'ai beau adorer mon amie Jade, je t'avoue, cher journal, que jamais je n'aurais eu le courage de m'interposer entre elle et le pitbull enragé. Réalisant que je ne reverrais sans doute plus jamais JJF de ma vie et que, si elle se moquait de mes quelques lignes, tant pis, je ne le saurais même pas, j'ai écrit :

*Gigi, j'ai été témoin de ton geste héroïque, hier. Jade a eu beaucoup de chance que tu aies osé la défendre. J'espère que tu te rétabliras tout à fait et que tu passeras quand même de bonnes vacances d'été. Courage et bonne chance. Alice*

À la récré, mes amis et moi, on s'est assises à l'ombre de l'érable. Marie-Ève a décrit les deux semaines extraordinaires qu'elle passera avec sa mère dans l'Ouest américain.

– Et vous, les filles, qu'allez-vous faire pendant les vacances ? a-t-elle demandé.

– Mes parents, Anaïs et moi, nous partons le 10 juillet pour un mois en Chine. Et toi, Africa, quand est-ce que tu t'envoles pour le Sénégal ?

– Le 3 juillet. Je décompte les jours…

– Nous, a expliqué Emma, on commence par aller voir mon frère à Londres (Justin est parti étudier là-bas en janvier). Et ensuite, on ira au chalet.

Kelly-Ann, elle, passera deux semaines au camp de vacances.

– Quel genre de camp ? lui ai-je demandé.

– Un camp anglophone.

172

– Un camp anglophone! ai-je répété, horrifiée. Tes parents t'obligent à y aller... ma pauvre!

– Hi hi hi, capote pas, Alice! Ça n'a rien à voir avec le cours d'Éprah! C'est moi qui ai insisté pour y rester deux semaines. Il y a une ambiance du tonnerre, là-bas. Et toi, tu pars en Belgique, cet été?

– Oui, en juillet. Et au mois d'août, mes cousins belges viennent une semaine chez nous.

☼ Audrey jouera tout l'été dans son équipe de soccer. Et sa cousine arménienne de 16 ans séjournera trois semaines chez elle.

☼ Violette part jeudi soir pour presque tout l'été: une semaine chez ses grands-parents québécois à Ulverton (entre Drummondville et Sherbrooke). Suivi d'un mois à Lisbonne chez ses grands-parents portugais. Et, pour couronner le tout, elle est invitée (pour la 2e fois) par sa tante qui vit à New York. Toute seule, sans ses p'tits frères tannants! New York... Je l'envie un peu! Demain, je lui prêterai mes magazines *NYC* qui regorgent d'idées trop cool pour profiter de son séjour là-bas.

☼ Éléonore passera une semaine avec son père dans Charlevoix et le restant de l'été à Montréal, mais sa mère lui a promis qu'elles feraient de belles sorties.

☼ Les parents des deux Catherine ont loué une maison à Cape Cod.

– À la mer, vous êtes chanceuses! a dit Audrey. Un jour, on devrait se retrouver à la mer, les filles. À Cuba, par exemple. Pour nos 18 ans. Comme ça, on y sera sans nos parents !

On a trouvé que c'était une riche idée. Tope là ! Notre pacte à nous n'avait rien de macabre ni de sanglant, mais il soulignait notre amitié.

Au lieu de monter en classe, cet après-midi, on s'est dirigés vers la grande salle à l'occasion de la fête des profs. Sur la scène, monsieur Rivet a chaudement remercié les enseignants et nous a demandé une main d'applaudissements. Puis, il a souligné :

✓ le départ de madame Fattal à la retraite (mieux vaut tard que jamais !) et lui a remis un volumineux bouquet de fleurs violettes (assorties à ses nouvelles sandales haut perchées) + une carte signée par ses collègues. Heureusement qu'on ne m'a pas demandé d'écrire un mot pour elle, car j'aurais refusé de le faire… « Merci, madame Fattal, de m'avoir fait détester le cours d'anglais pendant des années… » Non mais, faut pas exagérer !!!

✓ le départ de monsieur Gauthier et madame Duval qui s'en vont vivre en Gaspésie.

– Et maintenant, place à la fête ! a conclu notre directeur.

L'arrière de la salle était bordé de tables couvertes de boissons et de desserts. Une table spéciale était prévue pour les profs qui sont allés s'y asseoir. Les élèves qui le souhaitaient venaient leur apporter une carte ou un petit cadeau. Nous, les 6e B au grand complet (moins Gigi), nous avons fait la file derrière CP qui, une enveloppe à la main décorée par ses soins, s'est avancée vers madame Robinson. Dedans, celle-ci a trouvé de notre part à tous un bon de 150 $ à la librairie des parents de Violette (les parents s'étaient cotisés pour le cadeau de fin d'année avant la Gaspésie). Absolument ravie, notre enseignante s'est levée pour nous embrasser.

Comme je crevais de soif et qu'il y avait du Citrobulles, je me suis servi un verre, puis deux, puis trois… Ça m'a rafraîchie. Et puis, toutes ces petites bulles qui éclataient joyeusement sur ma langue annonçaient l'été! En déposant mon verre, j'ai entendu une sorte de hennissement. C'était Crucru qui, au milieu de ses collègues, se tordait de rire. Elle était physiologiquement capable de rire?! Incroyable! C'était bien la première fois que je l'entendais manifester sa gaieté.

S'approchant de Marie-Ève, Simon, Éléonore et moi, monsieur Rivet a demandé l'aide de trois d'entre nous pour servir le café, le thé et la tisane aux profs. Je me suis proposée, avec Marie-Ève et Simon.
– Toi, Alice, a dit le directeur, occupe-toi des profs qui désirent du thé, s'il te plaît. Commence par aller servir madame Fattal. Attention, car la théière est brûlante.
Gloups. Si j'avais su, je me serais abstenue de proposer mes services… À contrecœur, je me suis dirigée vers Cruella. J'allais faire ultra-attention pour ne pas l'ébouillanter! Ni remplir sa tasse à ras bord comme j'ai souvent tendance à le faire, ce qui, du coup, m'oblige à aspirer la

boisson pour faire baisser le niveau avant de pouvoir la porter à mes lèvres… La prof d'anglais mangeait un morceau de tarte tout en bavardant avec madame Hamel.

– Désirez-vous une tasse de thé, madame ?

– Volontiers.

J'ai délicatement penché la théière sur la tasse. Zut, il n'y en avait pas seulement dans la tasse, du thé, mais aussi sur la soucoupe… Cruella a fait une moue éloquente qui voulait dire : « J'aurais dû m'y attendre. »

– Désolée, madame, mais le goulot de la théière coule.

– Avoue plutôt que tu es maladroite, ma fille. Ou alors, tu l'as fait exprès ! Voilà la soucoupe transformée en baignoire et mon plaisir de boire une bonne tasse de thé gâché.

J'ai ouvert la bouche pour lui dire que j'allais chercher une autre soucoupe et…

– **BURP.**


Un rot ! J'avais laissé échapper un rot !!! Bien évidemment, je ne l'avais pas fait exprès (j'ai toujours trouvé répugnants les gens qui rotent exprès, comme Patrick qui adore se faire remarquer et provoquer les cris indignés des filles). Interloquée, madame Fattal a lancé :

– Espèce de fille mal élevée ! Tu mériterais un zéro.

Elle ne peut pas m'en coller un, car ses cours sont terminés. J'ai murmuré :

– Excusez-moi, madame, j'ai bu trop de Citrobulles et…

– Décidément, tu as toujours une excuse à tout, Alice Aubry ! Et tu auras réussi à me manquer de respect jusqu'au bout !

Mesdames Hamel et Pescador me dévisageaient. La première, comme si elle découvrait qu'à l'approche de l'adolescence, j'étais en train de mal tourner et la seconde avec compassion (elle me plaignait de me faire rabrouer par sa redoutable collègue). Ne sachant pas trop si je pouvais m'esquiver en douce ou non, j'ai baissé les yeux sur le thé… à la surface duquel se trouvait un truc noir. Un truc noir rond plein de poils. Non, de pattes ! **Horreur absolue !!!**

Attrapant sa tasse qui dégoulinait et se penchant en avant pour éviter de tacher son chemisier, Cruella a bu une gorgée. Mais, en déposant sa tasse, ses yeux se sont agrandis de stupéfaction lorsque, à son tour, elle a aperçu ce qu'elle avait failli avaler. Portant une main à son cœur, elle a hurlé :
– Une araignée !!!
Se tournant vers moi, ses yeux ont jeté des éclairs.
– On n'est pas le 1er avril, quand même ! Cette fois, il faut une punition exemplaire !
La narine frémissante, elle vociférait tellement qu'elle en postillonnait. Je me suis reculée. Elle me faisait penser à la Reine rouge, dans le film *Alice au pays des merveilles*. Qui, en pareilles circonstances, aurait crié : « Trannnchez-lui la tête ! »

Tous les profs avaient le regard tourné vers la vieille prof malcommode de l'école et moi, sa shpoutz mortifiée.
– Madame Cru, euh… madame Fattal, je vous jure que je ne savais pas qu'il…

– Taratataaa! Comment as-tu osé m'appeler? Madame Cruche? En plus, tu me traites de cruche?!

– Non, pas du tout, ai-je rétorqué, épouvantée.

Et je me suis sentie devenir aussi rouge qu'une tomate, car j'avais failli dire «Madame Cruella»!!! M'adressant à mon enseignante qui avait accouru à nos côtés, je me suis défendue de mon mieux.

– Je n'y suis pour rien, madame Robinson, je vous le jure. D'ailleurs, j'ai une peur bleue des araignées!

– L'araignée avait dû élire domicile dans la théière, mais mal lui en a pris, la pauvre, a expliqué monsieur Gauthier, de l'autre côté de la table.

– Bon, passe-moi cette théière d'Halloween, Alice, a dit ma prof avec humour, et va rejoindre tes amis.

– Désolée, Pétula, a-t-elle ajouté à l'adresse de la Reine rouge en débarrassant sa tasse où flottait toujours l'infortunée bestiole. Je vais refaire du thé et je vous en apporte une nouvelle tasse.

Apercevant Jade, Hugo, Kelly-Ann et Africa qui me considéraient d'un air apitoyé, dans la foule, je me suis dirigée vers eux. Sans un mot, Afri m'a ouvert ses bras et je m'y suis jetée. Elle m'a serrée affectueusement contre elle et a murmuré à mon oreille:

– C'est fini, Alice! Plus jamais tu n'auras affaire à Éprah.

– Tu as raison, Afri, mais quand même, je ne méritais pas ça... Devant tous les profs, en plus. Je suis morte de honte!

– Pauvre Alice! a dit pour sa part Jade. Mais qu'est-ce qu'elle te reprochait, au juste?

Ravalant mes larmes, je leur ai raconté mes ultimes déboires avec la prof d'anglais.

Maman est venue nous chercher en auto à l'école, ma sœur et moi, car j'avais rendez-vous chez l'orthodontiste. Ça tombait bien parce qu'il pleuvait. Sur le chemin du retour, on s'est arrêtées à l'épicerie. Moumou nous a demandé si, pour notre lunch de demain, on préférait un sandwich au thon ou aux œufs.

– Un sandwich au thon, lui ai-je répondu.

– Moi, je n'ai pas besoin de lunch pour demain, a fait Caro.

– Ah non ?

– Je te rappelle qu'on va visiter le quartier portugais.

– C'est vrai ; quelle belle sortie ce sera ! D'autant plus qu'on annonce une journée superbe. Et que la Petite Italie est un quartier très agréable.

– Maman, on ne se rend pas dans la Petite Italie, mais dans le quartier portugais.

– Et qu'allez-vous faire là-bas, Ciboulette ?

– Nous promener en compagnie d'un guide. Puis manger au resto.

– Un resto grec, j'imagine.

– Mais non, il ne sera pas grec, mais PORTUGAIS !!!

Caroline a poussé un soupir d'exaspération.

– Excuse-moi, Ciboulette, a dit moumou en remplissant un sac de pommes, mais j'ai du mal à me concentrer sur deux choses à la fois.

Quand ma mère s'était disputée au téléphone avec Cruella le mois dernier, elle m'avait demandé de me prévenir si celle-ci se montrait une nouvelle fois injuste avec moi. En fait, je lui raconterai les événements de cet après-midi jeudi soir, lorsque l'école sera finie. Parce que je ne tiens pas à ce qu'elle envenime les choses en se plaignant auprès du directeur. Moi, j'ai tourné la page. Désormais, cher journal, madame Fattal n'est plus ma prof d'anglais, mais mon ex-prof d'anglais. Moi : ☹ ➲ ☺

## Mercredi 22 juin

Jade est venue nous trouver sous l'érable, Marie-Ève et moi. Elle qui avait passé dix minutes au chevet de Gigi Foster, hier, nous a expliqué que celle-ci était encore très faible. Reposant dans son lit avec son bras camouflé dans un énorme pansement et avec une perfusion piquée dans son autre poignet, elle avait remercié Jade du bout des lèvres pour les fleurs et la carte collective. Puis elle avait fermé les yeux. La mère de Jade et le père de JJF étaient allés parler dans le couloir, pour ne pas déranger la blessée.

Après avoir salué Violette qui venait de se joindre à nous, Jade a poursuivi son récit.

– Au bout de quelques minutes, mal à l'aise de rester là à côté de Gigi qui, visiblement, ne souhaitait pas me parler, j'ai décidé d'abréger ma visite et je me suis levée.

C'est alors que Gigi m'a demandé: «Tout le monde à l'école est au courant? Alice Aubry a tout raconté?

– Raconté quoi? lui ai-je répondu.

– Alice n'a rien dit sur moi? Sur… ce qu'elle a appris en Gaspésie?

– Non, je ne suis pas au courant. De quoi s'agit-il?

Refermant ses yeux, JJF a lâché:

– Laisse tomber, Jade.»

Notre amie a poursuivi:

– Je lui ai dit: «Gigi, je ne veux pas te déranger plus longtemps. Soigne-toi bien. Encore merci d'avoir accouru à ma rescousse. Je n'oublierai jamais ce que tu as fait pour moi.» Et tandis que je sortais de la chambre, il m'a semblé entendre: «C'est une chic fille.» Ce qui était bizarre, c'est que Gigi n'a pas dit: «Tu es une chic fille.» Et d'ailleurs, pourquoi me dirait-elle un truc pareil alors qu'elle ne m'a jamais aimée?! Et ce n'est certainement pas de toi non plus qu'elle parlait, Alice, elle qui a toujours été super vache avec toi!

Au moment où Marie me lançait un coup d'œil appuyé, Africa, Hugo et Simon sont arrivés. Contrairement à Jade et aussi improbable que ça puisse paraître, Marie et moi, on croit que c'est moi la «chic fille». Gigi a dû être immensément soulagée d'apprendre que toute l'école n'était pas au courant, que j'avais su tenir ma langue. Si ça peut lui apporter une certaine paix de l'esprit et l'aider à se concentrer sur sa guérison, tant mieux. Quand même, me

181

faire traiter de « chic fille », c'est bien la dernière chose que je m'attendais de la part de mon ennemie…

J'ai demandé à mes amies qu'elles m'écrivent chacune un petit mot-souvenir que je pourrai coller dans mon journal. Elles me l'ont promis pour demain. Parlant de demain, comment je ferai pour ne pas pleurer ? Je n'en sais rien. M'est revenue en tête la fin de l'année dernière, lorsque j'avais fait un effort suprême pour retenir mes larmes devant ce cher monsieur Gauthier… mais que j'avais éclaté en sanglots aux toilettes, deux minutes plus tard. Cette fois-ci, c'est encore pire, vu qu'on ne se retrouvera pas à la rentrée.

En s'asseyant à son pupitre, Pat a pété. Contre-attaquant avec sa bombe de déodorant, Jonathan a fait pchhht pchhhhhht autour du coupable. Le combiné de l'odeur de pet, de transpiration (notamment des pieds d'Hugo ! C'est pas triste !) et des déodorants masculins aux odeurs les plus agressives les unes que les autres était tout bonnement irrespirable.
– On va tous mourir asphyxiés, ici ! s'est plaint Eduardo.
J'ai couru ouvrir la fenêtre

20 h 03. Marie-Ève m'écrit :

Même si j'ai toujours respecté le sacro-saint code de l'école, demain, je ferai une entorse au règlement : j'apporte mon iPod pour prendre des *selfies.*

Moi aussi, je comptais le faire. Demain n'est pas une journée comme les autres.

Peux-tu arriver tôt, Alice ? Pour qu'on en profite au maximum ?

D'accord. Bonne nuit !

## Jeudi 23 juin

Juste avant que le réveille-matin de mon iPod ne sonne, je faisais un beau rêve : je rentrais de promenade avec Cannelle et, devant chez elle, madame Baldini était en train de jardiner. Elle s'est tournée vers moi. Son visage s'est éclairé de son merveilleux sourire et elle a déclaré :

– Bravo, Alice! Je suis fière de toi! La vie est belle!

Puis, se retournant vers sa plate-bande, elle a continué à y planter des fleurs, comme si de rien n'était. C'est alors que le *Driiiiiiiiiing!* hyperactif de mon réveille-matin m'a ramenée à la réalité. Une réalité dont madame Baldini ne fait malheureusement plus partie. Encore qu'elle continue de vivre dans mon cœur. Et, à bien y réfléchir, que sa vie se poursuit à travers ses petits-fils qu'elle aimait tant. J'espère qu'eux-mêmes, un jour, auront des enfants puis des petits-enfants, et que, comme ça, la descendance de l'adorable Rosa vivra jusqu'à la nuit des temps. À propos, pourquoi madame Baldini me félicitait-elle? Sans doute parce qu'aujourd'hui, je termine l'école primaire. D'un bond, je me suis levée.

Caroline, déjà habillée, avait sorti son pendentif-papillon de la boîte en forme de cœur. En l'enfilant, elle a déclaré:
– Et voilà! Je suis prête à affronter cette journée spéciale. Dépêche-toi, Alice, il est temps de…

Je n'ai pas entendu la suite, parce qu'elle s'était déjà précipitée dans l'escalier. Pour une fois, je n'ai pas soupiré, car je me suis rappelé que Marie m'avait demandé de venir tôt à l'école. Et puis, c'était aussi la dernière fois que je ferais le chemin de l'école en compagnie de ma sœur. L'an prochain, je me rendrai en autobus au collège Jean-Paquin. Que de dernières fois, aujourd'hui…

C'est certainement le fait d'avoir pensé à madame Baldini qui m'a soudain donné envie, en entrant dans la cuisine, de manger des biscotti. Bien entendu, il n'y en avait pas. Avisant ma sœur qui nourrissait sa progéniture de salade (Gus et Superman deviennent de jour en jour de plus en plus dodus), je lui ai proposé :

– Dis, ça te tenterait de faire des biscotti avec moi en rentrant de l'école ?

– Oh oui, Alice !!!

Elle m'a regardée d'un air émerveillé comme si j'allais enfin lui révéler le fabuleux secret que j'étais la seule à détenir : la recette des biscotti de madame Baldini !

– Tidessèèè ! a crié du haut de sa chaise haute notre Zoé qui a l'oreille fine. Veux tidessèadini !

Caro et moi, on a pédalé dans le délicieux soleil de ce début de journée. En arrivant dans la cour, j'ai vu que Marie-Ève était là, qui guettait mon arrivée. Dès qu'elle m'a aperçue, elle m'a lancé un joyeux bonjour de la main et moi, j'ai hâté le pas pour la rejoindre. Après l'avoir saluée, je lui ai avoué :

– Ça va peut-être te sembler stupide, mais je vais m'ennuyer de l'érable…

– Et moi donc, Alice ! En sept ans, il s'en est passé des choses sous cet arbre ! Tant de confidences, de joies, de fous rires, de moments d'entraide. Des choses plus difficiles aussi…

Un nuage est passé sur le visage de ma *best* et j'ai deviné qu'elle pensait à la séparation de ses parents qu'elle m'avait annoncée ici même.

– Notre bon vieil érable qu'on ne reverra plus, a poursuivi ma meilleure amie en caressant l'écorce du tronc… Rien que d'y penser, j'en ai les larmes aux yeux. Désolée, je m'étais juré de ne pas pleurer aujourd'hui, mais c'est plus fort que moi.

– T'en fais pas, Marie. Ne pas pleurer aujourd'hui, je crois que c'est mission impossible.

On s'est jetées dans les bras l'une de l'autre, puis, après avoir séché nos larmes, on a fait des *selfies* devant l'érable.

Éléonore et Violette sont arrivées et j'ai passé à cette dernière le sac contenant mes numéros du *NYC* (sauf celui de juin, que je n'ai pas encore parcouru). Violette m'a dit:
– Moi aussi, Alice, j'ai quelque chose pour toi.

Et elle m'a tendu une enveloppe. Éléonore et Marie-Ève ont fait de même. Je me demandais ce que c'était, mais quand j'ai ouvert la première enveloppe, j'ai compris! Le petit mot que j'avais demandé à chacune de mes amies pour souligner la fin de l'année. Après les avoir chaudement remerciées, je leur ai dit que je préférais lire leurs messages d'amitié en rentrant chez moi. Et qu'ensuite, je les collerais dans mon journal intime. Jade, Africa, Emma, Kelly-Ann, Audrey, CF et CP non plus ne m'avaient pas oubliée.

*Nostalgie, nostalgie*

À l'instant où la cloche a sonné le début des classes, monsieur Rivet est apparu en haut de l'escalier. Il est descendu dans la cour et, comme par magie, deux rangées d'élèves (de la maternelle à la 5e) et de profs se sont formées. Toute l'école nous a fait une haie d'honneur à nous, les 6e B et les 6e A ! En la traversant, je souriais à gauche et à droite en faisant de gros efforts pour contenir les larmes qui remontaient à la surface tellement j'étais émue.

Quelques heures plus tard, lorsque je suis sortie de l'école pour la der des ders, devine qui marchait devant Caroline et moi, cher journal ? Cruella ! Qui, heureusement, ne s'est pas retournée. L'ultime image que je garderai de ma détestable prof d'anglais : elle qui s'éloignait clopin-clopant vers son auto. Hein ?! Elle avait cassé un des talons aiguilles de ses nouvelles sandales ! Comment ? Je n'en sais rien, mais sur le trottoir résonnait un *tic tic* fatigué…

En rentrant à la maison, ma sœur m'a proposé de prendre notre collation ensemble sur la terrasse et de préparer ensuite la pâte à biscotti. Ça me semblait un bon plan, mais je n'avais pas envie d'être bousculée.
– D'accord, Caro, mais auparavant, j'ai besoin de me retrouver un peu seule dans notre chambre. Et ensuite, je serai à toi.
Au lieu de soupirer d'un air impatient, elle a dit d'un air entendu :
– Prends ton temps, Alice ; je t'attendrai.

*Quelle surprise aussi impressionnante qu'émouvante !*

J'ai senti qu'elle est impressionnée d'avoir une grande sœur «ado» qui a terminé son primaire. Et aussi qu'elle trouve ça prestigieux.

Après avoir troqué mes vêtements collants de transpiration contre un tee-shirt à bretelles spaghettis et ma minijupe en jeans, j'ai sorti les trésors de mon sac. Et, assise en tailleur sur mon lit, je les ai découverts, un par un. Chaque message reflétait bien la personnalité de mes amies. Quand je les ai tous lus et admirés (ceux de CF et de Violette étaient magnifiquement illustrés), je les ai tenus un instant contre mon cœur qui souriait tandis que je murmurais: «Merci, Africa, merci, les Catherine…!» Tout à coup, j'ai voulu vérifier quelque chose et j'ai ouvert mon cahier. Il restait suffisamment de place pour raconter ma journée, mais plus assez de pages pour y coller mes dix messages. Du coup, je les destine à mon *scrapbook*.

Il y a trois minutes, Caro et moi avons vécu un moment solennel: on a croqué, chacune en même temps, dans un de nos biscotti encore chauds. Et je suis fière, cher journal, de t'annoncer qu'ils passent le test: ils sont aussi délicieux que ceux de notre chère Rosa!

## La vie est belle!

Que d'émotions en cette dernière journée : peine de quitter l'école et plusieurs amis qu'on ne retrouvera pas à la rentrée, sans compter madame Robinson...

Mais aussi fierté : bye bye, le primaire. École secondaire, nous voici ! Mais avant ça, vive les vacances !

En mettant mon bureau en ordre, je suis tombée sur la photo de ma future voisine et moi. Ma mère avait eu la gentillesse de me l'imprimer le soir-même, cette photo, mais distraite comme je suis, j'avais oublié de la coller dans mon cahier. Il me reste deux pages. Pour satisfaire ta curiosité, je vais finalement placer cette photo sur la page d'à côté, cher journal. La voici donc, cette fameuse Béatrice ! Elle et sa famille déménageront dans la maison d'en face le 1er juillet... c'est-à-dire dans 8 jours !

Cette fille de 12 ans presque 13 sera-t-elle amicale avec moi, totalement indifférente ou me prendra-t-elle de haut, elle qui a terminé son secondaire 1 ? Comme elle avait l'air franchement sympathique le soir où nous l'avons rencontrée, moumou, Cannelle et moi, je pense qu'elle va le rester !

Catalogage avant publication de Bibliothèque et
Archives nationales du Québec
et Bibliothèque et Archives Canada

Louis, Sylvie,1960

Le journal d'Alice

Sommaire : t. 13. L'affaire Gigi Foster.
Pour jeunes de 9 ans et plus.

ISBN 978-2-89686-953-4 (vol. 13)
ISBN numérique 978-2-89686-954-1 (vol. 13)

I. Battuz, Christine. II. Titre.
III. Titre : L'affaire Gigi Foster.

PS8623.O887J68 2010    jC843'.6
C2009-941002-8
PS9623.O887J68 2010

Direction littéraire et artistique : Agnès Huguet
Révision et correction : Marie Théoret
Conception graphique : Nancy Jacques
Conception graphique de la couverture :
Dominique Simard

Droits et permissions : Barbara Creary
Service aux collectivités :
espacepedagogique@dominiqueetcompagnie.com
Service aux lecteurs :
serviceclient@editionsheritage.com

Suis Alice sur
facebook.com/
lejournaldaliceofficiel

Dépôt légal : 3e trimestre 2017
Bibliothèque et Archives nationales du Québec
Bibliothèque et Archives Canada

Imprimé au Canada

Dominique et compagnie
1101, avenue Victoria, Saint-Lambert (Québec) J4R 1P8
Téléphone : 514 875-0327 / Télécopieur : 450 672-5448
Courriel : dominiqueetcompagnie@editionsheritage.com
www.dominiqueetcompagnie.com

Remerciements de l'auteure et crédits :
*Toi la mordore,* poème de Roland Giguère, mis en musique
par Gilles Bélanger et chanté par Chloé Sainte-Marie,
disque *Parle-moi* (2005)
*Alice au pays des merveilles,* film réalisé par Tim Burton
et écrit par Linda Woolverton pour Walt Disney, 2010
*Sauveur et fils, Saison 1,* roman de Marie-Aude Murail,
éditions L'école des loisirs (2016)
Guide du visiteur – 2015 du Parc national
de l'île-Bonaventure-et-du-Rocher-Percé
France Nellis
Camille Samson, Charles Duguay et leurs enfants
Marc Trudel, magicien (marctrudelmagicien.com)
Sarah Annie Guénette, médecin vétérinaire
chez Anima-Plus
Emmanuelle Fadin, monitrice au Ranch Massawippi
Patrick Dubois, conteur (lapetitegreve.com)
Béatrice et sa famille
Nous reconnaissons l'aide financière
du gouvernement du Canada par
l'entremise du Fonds du livre du Canada.

Nous reconnaissons l'aide financière du gouvernement
du Québec par l'entremise du Programme
de crédit d'impôt – SODEC – Programme d'aide
à l'édition de livres.

Nous remercions le Conseil des arts du Canada
de l'aide accordée à notre programme de publication.

Financé par le
gouvernement
du Canada | Canadä